ÉTICA PROFISSIONAL NA TRADUÇÃO ASSISTIDA POR SISTEMAS DE MEMÓRIAS

ÉRIKA NOGUEIRA DE ANDRADE
STUPIELLO

ÉTICA PROFISSIONAL NA TRADUÇÃO ASSISTIDA POR SISTEMAS DE MEMÓRIAS

editora
unesp
DIGITAL

© 2014 Editora Unesp

Direitos de publicação reservados à:
Fundação Editora da Unesp (FEU)

Praça da Sé, 108
01001-900 – São Paulo – SP
Tel.: (0xx11) 3242-7171
Fax: (0xx11) 3242-7172
www.editoraunesp.com.br
www.livrariaunesp.com.br
feu@editora.unesp.br

CIP – BRASIL. Catalogação na publicação
Sindicato Nacional dos Editores de Livros, RJ

S927e

Stupiello, Érika Nogueira de Andrade
    Ética profissional na tradução assistida por sistemas de memórias /
Érika Nogueira de Andrade Stupiello. São Paulo: Editora Unesp Digital,
2014.
    Recurso digital

    Formato: epDF
    Requisitos do sistema: Adobe Acrobat Reader
    Modo de acesso: World Wide Web
    ISBN 978-85-68334-46-1 (recurso eletrônico)

    1. Ética.   2. Ética profissional.   3. Livros eletrônicos.   I. Título.

15-20354   CDD: 174
                                                           CDU: 174

Este livro é publicado pelo projeto Edição de Textos de Docentes e
Pós-Graduados da UNESP – Pró-Reitoria de Pós-Graduação
da UNESP (PROPG) / Fundação Editora da Unesp (FEU)

Editora afiliada:

Asociación de Editoriales Universitarias
de América Latina y el Caribe

Associação Brasileira de
Editoras Universitárias

Ao meu filho Bruno

AGRADECIMENTOS

Embora tenha consciência de que palavras são, muitas vezes, insuficientes para expressar um sentimento tão profundo como a gratidão, faço uso deste espaço para mencionar pessoas que tiveram grande relevância na concretização deste trabalho.

À Cristina Carneiro Rodrigues, pela orientação criteriosa e pelos encontros e discussões nos sete anos de estudos para o mestrado e o doutorado, que me estimularam a amadurecer pessoal e intelectualmente.

Ao meu esposo, Jaime, pela atenção e pelo carinho em meus momentos mais difíceis.

A toda minha família, pela presença e incentivo constantes, especialmente meus pais, Sônia e Antônio, pelas palavras de incentivo que sempre imprimiram coragem em meus desafios.

Aos amigos Álvaro e Marize Hattnher, pela generosidade e pelo constante apoio.

À Fundação de Amparo à Pesquisa do Estado de São Paulo (Fapesp), pelos recursos investidos em meus estudos de mestrado e doutorado e pelo amparo financeiro à minha participação em eventos científicos no Brasil e no exterior.

A tantos colegas, professores e funcionários da Unesp, *campus* de São José do Rio Preto, pelo auxílio prestado em diversos eventos e pela consideração e atenção.

Sumário

APRESENTAÇÃO

A Segunda Guerra Mundial e os tempos conturbados que a sucederam geraram a necessidade de traduções rápidas como nunca antes havia acontecido. Tal necessidade motivou pesquisas intensas na busca de meios que pudessem oferecer a solução para o problema. Muito se investiu em máquinas e em programas que pudessem oferecer, eficientemente, traduções. O retorno, entretanto, foi bastante modesto, pois o ideal de se conseguir sistemas que produzissem traduções de qualidade em pouco tempo nunca foi atingido. Os textos oferecidos pela tecnologia existente necessitavam revisões, o que desmotivava tradutores, que não queriam passar a ter o novo papel a eles atribuído, o de pós-revisores. Assim, com a limitação dos resultados e a insatisfação dos tradutores, os investimentos em máquinas de traduzir foram, pouco a pouco, sendo reduzidos.

Neste livro, Érika Nogueira de Andrade Stupiello relata a recepção dos tradutores a essas transformações e evidencia que suas primeiras reações positivas foram à criação de bancos de dados terminológicos. A partir dessa ferramenta de auxílio aos tradutores, pesquisas desenvolveram programas que levavam à organização de conjuntos de textos de trabalhos anteriormente realizados que poderiam facilitar a produção de novas traduções, ou seja, a sistemas de armazenamento de memórias de tradução.

Três desses sistemas, o *Trados*, o *Transit* e o *Wordfast*, foram o objeto de Érika em sua tese de doutorado defendida junto ao Programa de Pós-Graduação em Estudos Linguísticos da Unesp, *campus* de São José do Rio Preto, que aqui se publica em formato de livro. Mais que analisar os principais atributos de cada sistema, seu funcionamento ou sua adequação a certos tipos de trabalho, o centro das atenções são as implicações de seu uso.

Muitos autores, como a leitura deste livro revela, discorrem sobre vantagens e desvantagens da utilização das chamadas memórias de tradução. Entre as primeiras, listam-se o maior controle e padronização de terminologia e fraseologia, o aumento da velocidade de trabalho, a possibilidade de constituição do próprio banco de dados. Consideram-se como desvantagens a redução de espaço para escolhas do tradutor, o uso instrumental das línguas para possibilitar maior reaproveitamento, a não remuneração de material recuperado pelo sistema.

Érika vai além desses tópicos. Como os sistemas não têm como objetivo eliminar a intervenção humana durante o processo de tradução nem destinar ao tradutor o papel de mero pós-editor de textos, questões práticas e teóricas, especialmente as relacionadas à ética profissional, assomam-se com sua utilização. São recursos eficientes na tradução de textos em que fraseologia e terminologia se repetem, mas o fato de a chave de seu funcionamento ser o reaproveitamento de traduções anteriores, feitas pelo próprio tradutor ou fornecidas pelos clientes, gera desdobramentos nem sempre levantados na literatura sobre as memórias de tradução.

Esses desdobramentos ocupam lugar de destaque na reflexão de Érika. Um deles é o fato de o envolvimento com ferramentas tecnológicas poder levar ao esquecimento do caráter humano envolvido na tradução. A vertiginosa circulação eletrônica de textos cria a ilusão de que não há vínculo com autoria, assim como a recuperação de segmentos exigida por muitos clientes pode gerar o descomprometimento do tradutor, que tem, muitas vezes, sua atuação limitada e permanece invisível para o usuário da tradução.

Alguns tópicos são delicados, como o compartilhamento de memórias, abordado sob três perspectivas, a do cliente, a das agências de tradução e a do próprio tradutor. Por um lado, discute-se a pulverização da responsabilidade do tradutor em grandes projetos; por outro, as questões éticas envolvidas no intercâmbio de memórias. Aborda-se também o lado financeiro, assim como a polêmica sobre a propriedade intelectual, acenando-se para a possibilidade de, no futuro, haver uma reestruturação na remuneração do tradutor, assim como na prática de reutilização de memórias.

São, enfim, questões que precisam ser enfrentadas por todos os tradutores, especialmente aqueles que utilizam as memórias de tradução, pois esse emprego tem até implicações relacionadas às concepções sobre o processo tradutório. Na medida em que se lida com segmentos, a tradução pode facilmente passar a ser encarada como uma mera transposição ou transferência desses segmentos. Mas, principalmente, o procedimento pode encobrir o fato de que toda tradução envolve uma intervenção humana.

Certamente há, em curso, mudanças definitivas no mercado em que o tradutor atua. Para muitos, o uso de novas tecnologias não é uma alternativa, mas uma necessidade. Essas transformações se refletem na maneira pela qual o tradutor exerce sua tarefa, como concebe a prática, e quais são suas relações com seus contratantes.

O trabalho que prazerosamente apresento é um convite à reflexão sobre qual é o envolvimento do tradutor com o texto que traduz, sobre qual é seu papel no cenário atual e sobre qual é sua relação com aquilo que lhe serve como instrumento de trabalho. Mas, acima de tudo, é um estímulo a se pensar sobre quais são as consequências do emprego de tecnologias para a produção de traduções.

Cristina Carneiro Rodrigues

INTRODUÇÃO

As mudanças vivenciadas em diferentes partes do mundo nas últimas décadas, atribuídas ao fenômeno da globalização, impuseram um novo ritmo à circulação de informações entre diferentes localidades. Estando a produção e a disseminação de informações cada vez mais vinculadas ao poder, é crescente a dependência, por parte dos países produtores de conhecimento, dos meios de propagação de sua produção, especificamente na atualidade, pela internet. A demanda por acesso a conteúdos produzido além-fronteiras, por aqueles que se situam no polo receptor, também tem aumentado, mas, diferentemente do que ocorria anteriormente à era da internet, a busca por conhecimento e informações dá-se de uma maneira mais cômoda e quase instantânea, visto que, na maioria das vezes, o deslocamento físico é dispensado, ainda que o espaço virtual promova a sensação de constante movimento. Outra mudança importante experimentada na contemporaneidade diz respeito à liberação da informação de seus portadores.

Essa situação quase comum nos dias de hoje permitiu que a informação adquirisse um ritmo muito mais rápido de circulação do que as situações sobre as quais informa. A liberação da necessidade de se percorrer "distâncias" para o transporte da informação não só permitiu maior acessibilidade a essa em diferentes partes do mundo, mas também diminuiu consideravelmente seu custo. Hoje, com a internet, paga-se uma tarifa de ligação local para se obter acesso mundial. Uma das consequências dessa redução de custo é o aumento excessivo do montante e da difusão de informações. Todavia, mais acesso não significa maior domínio das informações produzidas, mas pode gerar um efeito contrário, o de afogamento e até de impotência diante do imenso volume de notícias e instruções que facilmente se apresentam aos usuários e que demandam uma resposta quase instantânea.

Como explica o sociólogo polonês Zygmunt Bauman, em seu livro *Modernidade líquida* (2001), a história moderna teria sempre sido influenciada pelo progresso dos meios de transporte. Durante um longo período pré-internet, vivenciou-se um contínuo progresso na invenção e na produção em massa de meios de transporte, como trens, automóveis e aviões. Vivia-se a era da "modernidade sólida", marcada pela construção de grandes indústrias e de rodovias para escoamento de pessoas e de produção. Os esforços concentravam-se na viabilização de meios para deslocamento de corpos físicos, que idealmente deveriam tornar-se habilitados a conquistar locais longínquos em tempos cada vez mais reduzidos. As limitações da distância física também foram gradativamente vencidas com os avanços nos meios de comunicação. Dos aparelhos de transmissão de fac-símile à introdução da internet, a mobilidade física foi tornando-se cada vez mais secundária, visto não estar ela mais diretamente ligada ao transporte da informação. A internet, em especial, libertou a informação do vínculo aos materiais físicos a que se refere e foi uma das grandes mudanças responsáveis por inaugurar a fase de "modernidade líquida", uma era que teria vencido a barreira do tempo na propagação de informações, ainda que de maneira desigual em diferentes partes do mundo. A fluidez é a metáfora principal que Bauman emprega para caracterizar uma era em constante mudança e independência de espaço.

No cenário da "modernidade líquida", a tradução experimenta crescente demanda, alimentada pelas mudanças na produção e veiculação da informação. O crescimento da contratação de traduções de materiais textuais em diversas especialidades para publicação quase imediata em meio eletrônico justifica-se primordialmente por interesses mercadológicos em escala global e pelo desejo de acesso ao Outro que a internet, em particular, parece despertar em seus usuários.

No âmbito da prática tradutória com textos em formato eletrônico, progridem a busca e o desenvolvimento de recursos que permitam ao tradutor realizar um trabalho da maneira mais eficaz possível nos prazos determinados pelo mercado contratante. Nesse segmento de tradução, o formato digital do texto de origem possibilita a aplicação de ferramentas de auxílio à tradução. Já em outros campos de atuação do tradutor,[1] em que os textos de origem são fornecidos impressos, o emprego dessa tecnologia fica impossibilitado ou subordinado à utilização de leitores ópticos para digitalização dos textos.

Rapidez de produção parece ser a máxima para o tradutor que deseja atuar no competitivo mercado em meio eletrônico, especialmente na indústria da localização, responsável pela adequação linguística e cultural de produtos e serviços para os mercados em que serão comercializados. O projeto de ferramentas tecnológicas capazes de lidar com as exigências de produção em larga escala na transmissão de informações para diferentes línguas representa uma tentativa de munir o tradutor de meios que, idealmente, facilitariam seu trabalho e, ao mesmo tempo, lhe confeririam agilidade para o cumprimento de prazos.

Na visão do teórico da tradução Michael Cronin (2003), a busca e a incorporação de ferramentas à prática tradutória na atualidade não representariam uma ruptura com os meios empregados pelo tradutor anteriormente às mudanças tecnológicas vividas nos últimos anos. Conforme defende, "as ferramentas não são simplesmente um adjunto conveniente à atividade dos tradutores, mas

---

1 Um exemplo de um segmento de tradução que não lida com textos de origem em formato digital é o da tradução juramentada, cuja praxe consiste no fornecimento desses textos em formato impresso.

são centrais às definições do que fazem e do que sempre fizeram"
(Cronin, 2003, p.3).[2] De forma geral, pode-se dizer que as necessidades vividas em cada época ditam os tipos de recursos desenvolvidos para serem aplicados à prática profissional. A concepção
de uma ferramenta fundamenta-se nas expectativas sustentadas
para o desenvolvimento de uma determinada tarefa em um tempo
específico, especialmente de forma a reduzir o esforço exigido para
sua consecução.

Na tradução, dicionários monolíngues e bilíngues são conhecidos como ferramentas exemplares da prática. Os primeiros protó-
tipos, encontrados em forma de tijolos de argila na antiga Suméria
em 2600 a.C., tinham a função de armazenar registros vivos da
língua daquela época por meio de uma escrita cuneiforme (Deslile;
Woodsworth, 1998). Embora esses possam hoje constituir a noção
mais obsoleta de dicionário, a maneira como foram confeccionados
atendeu às necessidades daquele tempo, além de exerceram uma
função propulsora para as concepções posteriores de representação
e descrição da língua.

Por maiores que sejam as limitações que um instrumento para
auxiliar a tradução possa vir a apresentar quando examinado em
outra época e sob outras circunstâncias, sua função no tempo em
que foi desenvolvido e no trabalho para o qual serviu é fundamental. Muitos dos recursos empregados pelos tradutores ganharam
forma e função a partir do produto de seus trabalhos prévios. Conforme explica Cronin (2003, p.24),

as ferramentas de tradução nos períodos anteriores não são apenas objetos materiais que permitem rastrear permanentemente as
palavras, mas são produtos desses rastreamentos que, por sua vez,
auxiliarão os tradutores em suas tarefas. Isso inclui listas de palavras, os léxicos, os dicionários, as traduções anteriores, os recur-

---

2 Esta e as demais traduções das referências em língua estrangeira nesta obra
   foram feitas por mim, exceto quando houver edição disponível em língua
   portuguesa.

sos materiais que serão dispostos pelos tradutores para facilitar ou melhorar as traduções que produzem.

Seja recorrendo a dicionários, seja a traduções anteriores de um original, por algum motivo, inacessível, o tradutor há muito trabalha em um ambiente mediado por ferramentas, antes mesmo do advento da tecnologia como hoje a conhecemos. Glossários e dicionários constituem exemplos de ferramentas resultantes, em grande parte, de experiências anteriores no contato com a tradução entre diferentes línguas. O emprego desses recursos seria significativo para a constatação de que o tradutor atua em um ambiente mediado por ferramentas muito antes do advento das novas tecnologias.

A maneira como o tradutor se relaciona com as ferramentas que emprega em seu trabalho e o modo como é afetado por elas parece, entretanto, não ter conquistado espaço na literatura contemporânea da área até os dias de hoje, especialmente se considerarmos que

a tendência em enxergar as ferramentas quase exclusivamente no domínio da nova tecnologia conduz a leituras predominantemente descritivas de seu uso (o que elas fazem) e a uma negligência subsequente das implicações mais vastas de sua presença no mundo da tradução (o que elas representam). (Cronin, 2003, p.28)

Buscando refletir sobre o significado da adoção de novas tecnologias pelo tradutor, esta obra analisa as principais implicações da adoção de ferramentas tecnológicas, em particular dos sistemas de memórias de tradução,[3] para a concepção da prática tradutória como uma operação de recuperação e transporte de significados literais. Conforme aqui discutido, os sistemas de memórias constituem recursos amplamente adotados na atualidade por tradutores que lidam com textos em formato eletrônico. Grande parte dos trabalhos que

---

3 Quando utilizar a referência "sistemas de memórias", refiro-me à ferramenta de tradução, ao passo que quando fizer menção unicamente a "memórias", digo respeito aos bancos de dados formados.

tratam dos sistemas de memórias, como Austermühl (2001), Bowker (2002), Biau Gil e Pym (2006), dedica-se à descrição dos vários
recursos disponibilizados por esses sistemas e ao modo como seu
emprego pode alterar, em muitos aspectos, a maneira como o tradutor trabalha com o texto ou material que traduz, principalmente
acelerando tarefas consideradas repetitivas, como a tradução de termos ou expressões frequentemente recorrentes, ou servindo como
um banco de dados e instrumento para consulta terminológica com
o objetivo de padronizar as construções tradutórias no texto.

Por outro lado, parece haver uma lacuna na investigação sobre a
maneira como a tradução é concebida quando o tradutor emprega
ferramentas como os sistemas de memórias ou sobre qual seria a
extensão de sua responsabilidade pelo trabalho que elabora. Neste
livro analiso os pressupostos teóricos dos projetos de ferramentas
eletrônicas, com foco na dimensão ética do fazer tradutório que se
mune dos recursos disponibilizados pelos sistemas de memórias de
tradução. Discuto também como a tecnologia define e influencia o
perfil profissional do tradutor, abordando as principais competên-
cias que lhe são pressupostas na atualidade. A fim de exemplificar
minha reflexão, apresento um estudo prático e comparativo de
três sistemas de memória de tradução muito utilizados por tradutores profissionais: o *Wordfast*, o *Trados Translator's Workbench*
(doravante, *Trados*) e o *Transit XV* (doravante, *Transit*). Com base
em minha experiência como usuária desses sistemas, descrevo os
principais recursos de cada ferramenta, discutindo suas aplicações específicas, assim como seus benefícios e limitações. Por fim,
fundamentando-me nos pressupostos teóricos desses sistemas e
na operacionalização de cada um deles, concluo com uma reflexão
de cunho ético sobre os limites da responsabilidade esperada do
tradutor contemporâneo que faz uso dos recursos das memórias de
tradução em seu trabalho.

Minha experiência como tradutora técnica e juramentada e
usuária de sistemas de memória de tradução, especialmente dos sistemas *Wordfast* e *Trados*, estimulou-me a analisar detalhadamente
suas principais aplicações e a refletir sobre as principais consequên-

cias da semiautomatização da tradução. Como será discutido nesta obra, a aplicação dos recursos oferecidos especificamente pelos sistemas de memórias de tradução pode chegar a conferir habilidades que venham a dinamizar os serviços prestados a um mercado que tem elegido o cumprimento do prazo de entrega como condicionante primordial à contratação de uma tradução. Todavia, o uso dessa ferramenta não oferece um atalho aos inevitáveis problemas e desafios com que o tradutor depara e que acabam sendo subestimados, dado o enfoque na aplicação dos recursos de pesquisa e recuperação de traduções anteriores de que dispõem os sistemas de memória de tradução.

Este livro divide-se em três capítulos. No primeiro, trato das novas relações linguísticas estabelecidas com a expansão da comunicação pela internet e suas consequências para a prática de tradução na contemporaneidade. Nesse capítulo, teço algumas considerações sobre a presença e o *status* do inglês referido como "língua da globalização", refletindo sobre a crescente ruptura da associação entre língua e cultura. Conforme argumento, é essa língua "híbrida" e sem vínculo com sua cultura de origem que, na maioria das vezes, serve de ponto de partida para a tradução de materiais textuais para as mais diversas línguas e posterior divulgação em meio eletrônico. A fim de alcançar a padronização e a execução de traduções ao ritmo comercial, ferramentas tecnológicas de tradução, como programas de tradução automática e sistemas de memórias de tradução, são cada vez mais adotadas por agências prestadoras de serviços de tradução e tradutores que atuam em mercados como o da localização, responsável pelo crescimento substancial na indústria de tradução nas últimas duas décadas. Conforme discuto no primeiro capítulo, ao contrário da tradução automática, o desenvolvimento dos primeiros sistemas de memórias de tradução foi, desde o início, visto com entusiasmo por tradutores que, até então, se opunham à subserviência à máquina. Diversos trabalhos na área, produzidos tanto por estudiosos quanto pelos próprios tradutores-usuários desses programas – entre eles, Pym (2003); Pym et al. (2006); Pérez (2001); Craciunescu et al. (2004); e, no Brasil, Nogueira e Nogueira (2004) – são bastante enfáticos ao afirmarem e ilustrarem o ganho de eficiência que os sistemas de memórias promovem no trabalho de tradução. A inovação que os sistemas de memórias de tradução trouxeram consiste, em linhas gerais, na capacidade de recuperação e reaproveitamento de traduções já realizadas. O tradutor contaria com um recurso de grande auxílio na manutenção da padronização terminológica, podendo resultar em economia de tempo em trabalhos muito extensos e desenvolvidos em equipe. Aludindo às potenciais vantagens que o emprego dos sistemas de memórias pode gerar, alguns teóricos e tradutores chegam, até mesmo, a atestar a imprescindibilidade da adoção e do domínio do uso desses sistemas para o tradutor profissional manter-se no mercado de trabalho. Por outro lado, pouca atenção parece ser dada às mudanças que o uso desses sistemas promove na maneira como o tradutor lida com o texto que traduz e, por extensão, no modo como sua atuação é concebida por quem contrata seu trabalho.

Para apresentar como os sistemas de memórias atuam na prática, no segundo capítulo investigo os principais recursos de três dos mais utilizados sistemas por tradutores profissionais: o *Wordfast*, o *Trados* e o *Transit*. Com base nas instruções técnicas dos respectivos manuais do usuário dos referidos sistemas e em minha experiência como usuária, avaliei o funcionamento dos recursos de segmentação textual [*segmentation*], alinhamento textual [*alignment*], correspondência [*matching*] e de alguns outros subsidiários. Os três sistemas foram testados para a tradução de textos da área da agroindústria da cana-de-açúcar e um banco de dados terminológicos foi compilado a partir dos textos de origem e das respectivas traduções dessa especialidade. A análise dessas ferramentas e dos pressupostos teóricos que as fundamentam ilustra e orienta a análise crítica da influência dessas tecnologias na prática tradutória, com enfoque na concepção ética formada sobre a responsabilidade pela produção da tradução quando o tradutor emprega esses recursos tecnológicos.

O terceiro capítulo compreende uma reflexão sobre as implicações éticas para a prática contemporânea de tradução com o uso dos sistemas de memórias, tomando por base o estudo realizado com três exemplares dessas ferramentas. Ao pensar em ética em tradução, reflito sobre a extensão da responsabilidade do tradutor pelas escolhas a que é conduzido a realizar ao ser influenciado, por exemplo, quando recebe de antemão uma terminologia pronta em um banco de dados ou um texto parcialmente traduzido para o trabalho com o auxílio dos sistemas de memória. Discuto também a postura ética do tradutor ao decidir sobre a manutenção ou o compartilhamento do banco de dados por ele produzido ou a ele fornecido para um trabalho específico. Essas questões relacionam-se à responsabilidade tradutória e vinculam-se à ética por implicarem escolhas por parte do tradutor, uma conduta que o leva a utilizar um meio para atingir um fim.

A delimitação do que se entende por ética exige também uma conceituação de moral, visto que, conforme afirma Costa (2009, p.20), "ambos os conceitos andam juntos e um não vive sem o outro". Neste estudo sobre a relação entre a ética tradutória e as novas tecnologias, esses dois conceitos diferem, em especial, pelo caráter individual que atribuo à moral e à característica coletiva da ética, como um esforço, geralmente exercido em um tempo e local específicos, para formular uma série de regras ou recomendações de comportamentos moralmente aceitos. Segundo a distinção que Bauman (2003, p.66) estabelece entre os dois conceitos em *Ética pós-moderna*,

só as normas podem ser universais. Pode-se legislar deveres universais ditados como normas, mas *responsabilidade* moral só existe na interpelação do indivíduo e no ser portada individualmente. Os deveres tendem a fazer os humanos iguais; a responsabilidade é o que os fazem indivíduos. A humanidade não é captada em denominadores comuns – aí ela se submerge e desvanece. A moralidade do sujeito moral não tem, portanto, o caráter de norma. Pode-se dizer que o moral é o que *resiste* a codificação, formalização, socialização, universalização. O moral é o que permanece quando se faz o trabalho da ética.

Nesta obra, problematizo a extensão da responsabilidade do tradutor contemporâneo que atua em projetos compartimentados, enquadrando-se em equipes de trabalho para as quais são atribuídas normas de atuação. Nesse sentido, a concepção de ética visa orientar a reflexão apresentada sobre a atribuição de responsabilidade ao tradutor cujo trabalho é encoberto pela supervalorização de tecnologias como os sistemas de memórias de tradução. Como define o filósofo Renato Janine Ribeiro (2004, p.66), a "ética da responsabilidade é aquela que se aplica na política ou, melhor dizendo, é aquela que vale sobretudo para quem *age politicamente* (agir politicamente, isto é, levando em conta as relações de poder)".

As "relações de poder" que Ribeiro descreve para a política são revistas pelo viés da tradução contemporânea com o auxílio de sistemas de memórias. Conforme discuto, são diversas as relações de poder que se constroem na prática de tradução auxiliada por essas ferramentas, como entre o cliente que delega uma tradução ao tradutor e exige que seja fornecido o banco de dados da memória juntamente com a tradução contratada. Nessa relação de poder, a recontratação de um tradutor para trabalhos futuros depende, em muitos casos, da renúncia à sua produção terminológica pela disponibilização do conteúdo da memória formada a partir de um trabalho de tradução. Já entre as agências de tradução, tem-se a contratação de um trabalho vinculado à condição de que os tradutores mantenham as opções pré-traduzidas, limitem-se a traduzir somente trechos de textos não recuperados da memória (com diferentes valores de remuneração) e devolvam suas traduções "sujas", isto é, com os segmentos originais e as respectivas traduções para que a agência adicione essa produção terminológica e incremente seu banco de dados. Entre tradutores, a decisão de compartilhar ou não o banco de dados do sistema de memória particular permite a esses profissionais fazerem uso do (limitado) poder que detêm para decidir como e quando dividir sua produção terminológica e fraseológica com outros tradutores.

Essas são algumas das ações que integram a prática contemporânea de tradução com o auxílio de sistemas de memórias e que, em relação direta com a ética profissional, são tratadas nesta obra.

1
AS PRÁTICAS DE TRADUÇÃO REDEFINIDAS PELAS RELAÇÕES LINGUÍSTICAS NA ECONOMIA INFORMACIONAL

> *"A escolha não é entre seguir as normas e transgredi-las, visto que não há nenhum conjunto de normas para se lhe obedecer ou transgredi-lo. A escolha é, antes, entre diferentes conjuntos de normas e diferentes autoridades que as pregam."*
>
> (Bauman, 2003)

Os avanços experimentados nas últimas décadas na área de tecnologias da informação criaram uma nova lógica industrial, pela qual diferentes sociedades, nas mais remotas partes do mundo e estruturadas em rede graças à internet, têm a oportunidade de intercambiar produtos e serviços, e de se comunicarem de modo virtual e quase instantâneo. Essa inovadora configuração mundial caracteriza-se, segundo Castells (2007, p.108), pela distribuição do processo produtivo em diferentes locais (pelo fato de a distância não ser mais um empecilho para a comunicação), possibilitada pela estruturação da economia informacional, em que a informação, considerada "matéria-prima" das novas tecnologias, dissemina-se em redes com crescente conectividade nos mais remotos lugares.

A expansão da disseminação da informação pela internet impôs novas exigências à prática de tradução, tanto com relação ao crescimento de sua necessidade quanto em relação à diminuição de seu tempo de produção. Segundo a ordem mercadológica atual, o comércio internacional é preferencialmente concretizado se as informações na língua de origem forem oferecidas nas línguas traduzidas concomitantemente ao lançamento do produto. A fim de atender principalmente a demanda de urgência de seus serviços e manterem-se competitivos, tradutores que prestam serviços para esse segmento, cada vez mais, estão lançando mão das ferramentas tecnológicas de auxílio à tradução, em especial os sistemas de memórias de tradução.

Este capítulo apresenta um panorama das relações linguísticas no mundo globalizado via internet, articulado a uma reflexão sobre suas influências para a prática de tradução na contemporaneidade. Pela descrição das principais mudanças no modo como a tradução é contratada e pela apresentação de algumas das exigências de produção impostas pelo atual ritmo econômico, busco justificar a implementação de algumas ferramentas adotadas pelo tradutor para suprir a demanda por tradução.

Traduzindo o "inglês global": algumas considerações sobre as tecnologias de informação contemporâneas e suas relações com a tradução

Os rumos conferidos nas últimas três décadas à economia mundial com o desenvolvimento das tecnologias de informação que, idealmente, proveriam meios para a comunicação e o comércio sem fronteiras têm influência direta no aumento dos intercâmbios linguísticos entre povos de diferentes nações. A instantaneidade com que mensagens, textos e documentos de naturezas diversas viajam pela internet e são difundidos eletronicamente em diversas partes do mundo exige que todo o conhecimento produzido possa ser entendido e processado em diferentes línguas com rapidez semelhante à sua produção.

O imperativo de uma resposta rápida às informações em circulação via internet parece favorecer a adoção de uma ou poucas línguas como meios de expressão global, ainda que os emissores e receptores envolvidos na comunicação não sejam falantes nativos dela. Em um mundo em que convivem cerca de 2.500 a três mil línguas, a língua inglesa é, com frequência, identificada como língua da globalização, seguida por outras línguas também consideradas dominantes nos planos político-econômico e tecnológico, como o francês, o espanhol e, na atualidade, o chinês (Wodak, 2004). As estatísticas que demonstram o domínio do inglês, por sua vez, não fazem referência à maneira como se distribuem os falantes dessa língua e nem ao modo como ela é usada, mas, ao contrário, sugerem haver uma língua inglesa homogênea e consequente da hegemonia global estadunidense.

Um estudo que acompanha a evolução das línguas na internet desde 1998, desenvolvido pela Direção de Terminologia e Indústrias da Língua (DTIL), órgão filiado à União Latina e que se ocupa em promover a difusão das línguas latinas nas infovias, revela o domínio do inglês nas páginas eletrônicas indexadas por diferentes motores de busca da internet. Conforme demonstra uma das tabelas que reúne dados relativos aos anos em que foi conduzida a pesquisa, a língua inglesa vem mantendo, ao longo dos anos, uma posição bastante privilegiada em relação às demais línguas latinas contempladas pelo estudo:

Tabela 1 – Evolução das línguas nas páginas da internet entre 1998 e 2007

Páginas da web em	1998	2000	2001	2002	2003	2004	2005	2007
Inglês	75%	60%	52%	50%	49%	45%	45%	45%
Espanhol	2,53%	4,79%	5,50%	5,80%	5,31%	4,08%	4,60%	3,80%
Francês	2,81%	4,18%	4,45%	4,80%	4,32%	4,00%	4,95%	4,41%
Português	0,82%	2,25%	2,55%	2,81%	2,23%	2,36%	1,87%	1,39%
Italiano	1,50%	2,62%	3,08%	3,26%	2,59%	2,66%	3,05%	2,66%
Romeno	0,15%	0,21%	0,18%	0,17%	0,11%	0,11%	0,17%	0,28%
Alemão	3,75%	2,85%	6,75%	7,21%	6,80%	7,13%	6,94%	5,90%
Catalão	–	–	–	–	–	–	–	0,14%
Demais	13,44%	22,20%	23,68%	25,97%	29,65%	31,32%	33,43%	36,54%

Fonte: Direção de Terminologia e Indústrias da Língua (DTIL).

Observa-se que a queda apresentada no número de páginas em inglês ao longo dos anos do estudo é gradativa até estacionar-se, a partir de 2004. Em comparação ao ano inicial da pesquisa, o declínio do inglês é compensado pelo aumento da presença de outras línguas na rede, especialmente línguas asiáticas (que se encaixam na categoria "Demais") e não pela ampliação da participação das línguas latinas pesquisadas. A primazia da língua inglesa mantém-se e, como meio de propagação das inovações tecnológicas, a internet seria um local favorável à implementação de uma "geopolítica do inglês" na atualidade. Essa constatação pode ser verificada principalmente pelo fato de um crescente número de empresas que hospedam páginas eletrônicas na internet, em sua maioria outrora monolíngues, estarem buscando serviços de tradução para tornarem-se bilíngues ou multilíngues, quase sempre com o inglês entre as línguas oferecidas para acesso à página. Se, no passado, a rivalidade de poderes e influências travava-se para a conquista de territórios, no presente, essa luta pelo domínio econômico e, até, cultural realiza-se no dinâmico plano da comunicação eletrônica.

Conforme defende Rajagopalan (2005), não se pode ingenuamente acreditar que o domínio linguístico do inglês teria se concretizado a partir de uma escolha, em escala mundial, por uma língua para possibilitar a comunicação entre povos de diferentes nações. O favorecimento à adoção da língua inglesa realizou-se na mesma proporção em que "países anglófonos, notadamente os Estados Unidos, passaram a gozar de poder hegemônico no mundo pós--Segunda Grande Guerra" (Rajagopalan, 2005, p.147). A ascensão econômica estadunidense no cenário do pós-guerra tornou o inglês proeminente nas inovações tecnológicas oriundas daquele país, assim como nas descobertas científicas e médicas. Em organismos internacionais como a Organização das Nações Unidas, o inglês também desempenha papel principal entre as línguas de trabalho.

Essa posição privilegiada da língua inglesa tem também motivos políticos, sendo verificada até mesmo no continente europeu, local em que a diversidade cultural e a pluralidade linguística são assuntos constantes de debates políticos a favor da comunicação e integração intercultura. No caso da União Europeia, o problema da pluralidade linguística é tratado como uma questão tanto política como técnica. Segundo o relato de Calvet (2007), quando a França assumiu a presidência da União Europeia em 1994, uma das primeiras propostas do então ministro francês de Assuntos Europeus foi a de limitar em cinco o número de línguas de trabalho da comunidade, naquela época composta por quinze países membros. A campanha francesa propunha a adoção do inglês, do francês, do alemão, do espanhol e do italiano, uma escolha que, para Calvet (2007, p.134), "enfatiza a comunicação no seio da Europa, excluindo na mesma tacada o português, muito mais falado no mundo que o italiano, o alemão e até mesmo o francês". A principal preocupação da proposta não era, como a França desejava transparecer, de estabelecer as línguas de trabalho com base em dados estatísticos europeus (número de falantes dessas línguas no continente), mas de evitar que o inglês se tornasse "a única língua de trabalho da União Europeia" (ibidem).

De fato, o domínio da língua inglesa estende-se muito além do continente europeu. Segundo dados apresentados por Rajagopalan (2005), um quarto da população mundial possui algum conhecimento dessa língua ou condições de lidar com ela. Quando se trata da divulgação do conhecimento científico, a esfera de ação do inglês atinge níveis entre 80% e 90% da produção mundial. Todavia, não é possível afirmar que o inglês da comunicação mundial corresponderia à língua como conhecida nos países que a têm como língua nativa, pois, como explica o pesquisador,

a língua inglesa que circula no mundo, que serve como meio de comunicação entre os diferentes povos do mundo de hoje, não pode ser confundida com a língua que se fala nos Estados Unidos, no Reino Unido, na Austrália, ou onde quer que seja. A língua inglesa, tal qual vai se expandindo no mundo inteiro (a que chamo de World English) é um fenômeno linguístico sui generis, pois, segundo as estimativas, nada menos que dois terços dos usuários desse fenômeno linguístico são aqueles que, segundo os nossos critérios antigos e ultrapassados, seriam considerados não nativos. (Rajagopalan, 2005, p.151)

Para Rajagopalan, o inglês do mundo globalizado constituiria uma nova língua (o *World English*) que, conforme afirma, teria perdido seu "vínculo com a cultura anglo-saxã" (ibidem), na medida em que adotada na comunicação entre pessoas das mais diversas culturas e com as mais variadas formações ideológicas. Esse inglês, elevado à condição de "língua franca", há muito teria se libertado do domínio e controle exercidos pela "metrópole", uma referência aos países anglo-americanos, que se consideram proprietários e guardiões dessa língua, considerando-a mais "uma preciosa *commodity*" a ser valorizada e comercializada (ibidem, p.153).

Um espaço revelador do domínio do inglês e de sua incorporação a outras línguas pode ser constatado na rede mundial de computadores. Segundo Jean-Marie Le Breton (2005), a internet constituiria o "campo digital" e revelador da potência do domínio da língua inglesa, não somente em termos de volume, mas, em especial, de ascensão social e prestígio. Como explica o autor,

não se trata de ocupar totalmente esse campo, mas uma espécie de vácuo favorece o uso do inglês: quanto mais difusão, melhor imagem. O inglês lança suas redes muito além do que a geografia ensina. Numerosos países industrializados, cuja capacidade de inovação é imensa e cuja língua é vigorosa, não deixam de pagar um tributo notável ao inglês, em consequência das posições conquistadas na abertura do mercado. (Le Breton, 2005, p.23)

O "tributo" prestado ao inglês e ao qual Le Breton alude envolve os setores da inovação tecnológica, de comunicação e de informação, áreas em crescente expansão em que o inglês atua como língua veicular. Conhecer e utilizar a língua inglesa nesses setores pode significar promoção profissional, social e econômica. Para Le Breton (2005, p.23), "tudo ocorre como se 'pensar em inglês' se tornasse necessário para entender o mundo".

A língua supostamente capaz de moldar a compreensão do mundo contemporâneo não seria, como suposto com frequência, patrimônio exclusivo das nações anglo-americanas. Ela também não seria exclusivamente controlada pelos povos que a têm como língua materna. Em um estudo elaborado para o Conselho Britânico sobre a posição do inglês no mundo contemporâneo, David Graddol (2006, p.19) apresenta dados que sugerem que "o inglês não está mais sendo aprendido como língua estrangeira em reconhecimento ao poder hegemônico dos falantes nativos de inglês". As pesquisas apresentadas por esse linguista exploram a complexidade das relações entre a língua inglesa e as línguas dos países com participação ativa na economia globalizada, em especial a China e a Índia que, conforme defende, "detêm a chave para o futuro em longo prazo do inglês como língua global" (ibidem, p.15).

A obra *English Next* [Inglês a seguir] de Graddol (2006) reflete em sua composição a natureza de grande parte da comunicação atual, especialmente ao se apresentar em formato eletrônico para acesso e leitura gratuitos pela internet. A reflexão que o pesquisador desenvolve nesse trabalho baseia-se em pesquisas feitas para um estudo anteriormente publicado – *The Future of English?* [O futuro do inglês?] –, que tiveram como meta produzir conhecimento para "facilitar o debate informado sobre o futuro do uso e da aprendizagem da língua inglesa no mundo" (Graddol, 1997, p.66).

Em 1997, Graddol relacionou a supremacia da língua inglesa no âmbito da rede mundial de computadores ao fato de, até então, 90% dos provedores estarem sediados em países falantes dessa língua. Essa configuração, todavia, logo começaria a ser alterada com o desenvolvimento de bases de usuários e provedores no continente asiático, assim como pela criação de programas de *software* e de novos navegadores e padrões de HTML (que controlam a língua em que as páginas eletrônicas são escritas), que passaram a oferecer condições para acesso em diversas línguas. Essas mudanças teriam tido impacto direto no domínio do inglês na internet e, como entrevê Graddol (1997, p.61), a quantidade de materiais na internet em línguas que não sejam o inglês deve expandir de maneira dramática na próxima década. O inglês continuará preeminente por algum tempo, mas acabará se tornando uma língua entre muitas. É, portanto, um engano insinuar que o inglês é, de alguma forma, a língua nativa da internet. Ele será usado no ciberespaço da mesma forma que é empregado em outros lugares: em fóruns internacionais, para a disseminação do conhecimento científico e técnico, na publicidade, para a promoção de bens de consumo e para serviços pós-venda.

A principal argumentação dos dois trabalhos desenvolvidos por Graddol assenta-se sobre a tese de que a ascensão do que denomina "inglês global" não representa o "triunfo dos falantes nativos", pois, como sustenta, "a realidade é que existem mudanças muito maiores e mais complexas agora acontecendo no sistema linguístico mundial. O inglês não é a única 'grande' língua no mundo e sua posição como língua global está agora aos cuidados de falantes multilíngues" (Graddol, 2006, p.57).

Em *English Next*, Graddol (2006) divulga resultados de pesquisas desenvolvidas por institutos especializados que indicam que a proporção de usuários da internet que têm o inglês como língua materna está diminuindo, assim como o número de páginas eletrônicas exclusivamente compostas nessa língua. A sistemática de pesquisa adotada difere dos resultados do levantamento elaborado pela DTIL, que demonstram primazia no uso do inglês em páginas eletrônicas, conforme a Tabela 1 apresentada neste capítulo. Por outro lado, o exemplo citado por Graddol corrobora a tendência de queda no uso dessa língua, conforme uma pesquisa realizada pelo instituto Catalan ISP VilaWeb em 2000, que estima uma queda de 68% no número de páginas em inglês. Embora proporcionalmente o inglês ainda ocupe uma posição privilegiada em relação à situação de outras línguas faladas pelos usuários da internet (como demonstrado pela pesquisa da DTIL), Graddol argumenta que o acesso a sites em inglês diminui à medida que páginas são traduzidas e disponibilizadas na primeira língua desses usuários.

Páginas eletrônicas da internet constituem um exemplo dos tipos de materiais com que lidam os tradutores na contemporaneidade e que, de muitas maneiras, têm influenciado a maneira como a tradução é praticada. Algumas das mudanças vivenciadas na prática devem-se às características dos materiais textuais eletrônicos a serem traduzidos, assim como à maneira como serviços de tradução para esse setor são contratados e até realizados. No ensaio "Technology and translation" ["Tecnologia e tradução"], que compõe a publicação eletrônica *Translation technology and its teaching* [A tecnologia de tradução e seu ensino], Biau Gil e Pym (2006), pesquisadores em tradução e professores da Universitat Rovira i Virgili, na Espanha, discutem algumas das mudanças vividas pelo tradutor em seu trabalho como resultado dos avanços tecnológicos e do processo de globalização. A mais importante delas, segundo os autores, seria o próprio formato dos textos a serem traduzidos, em sua maioria em meio eletrônico, sem delimitação de início ou fim e em constante processo de atualização. Para esses teóricos, a tradução na contemporaneidade, "torna-se mais um trabalho com banco de dados, glossários, e uma série de ferramentas eletrônicas, no lugar de textos de origem completos e definitivos" (Biau Gil; Pym, 2006, p.6). Entre as ferramentas mencionadas pelos autores estariam os dicionários e glossários eletrônicos, a própria internet (como instrumento de pesquisa), os programas de tradução automática e os sistemas de memórias de tradução.

Essas ferramentas seriam representativas dos avanços tecnológicos no campo da tradução e de mudanças na maneira como clientes e tradutores se comunicam (internet), no modo como produções anteriores do tradutor são recuperadas e reaproveitadas (os bancos de dados terminológicos, os programas de tradução automática, os sistemas de memórias de tradução) e nos textos, considerados por Biau Gil e Pym (2006, p.6) como "arranjos temporários de conteúdos".

Reconhecida como um meio para a comunicação sem fronteiras, a internet suprimiu a distância que separava o tradutor dos grandes centros comerciais e industriais, onde a demanda por tradução sempre se mostrou significativa e, anteriormente à era digital, acabava sendo atendida com bastante dificuldade e demora quase exclusivamente por tradutores que atuavam nas proximidades dos grandes mercados de trabalho. Para Biau Gil e Pym, o tradutor contemporâneo, munido de conexão à internet e ferramentas eletrônicas, estaria apto a prestar serviços para clientes em qualquer parte do mundo, podendo até fazer uso dos diferentes fusos horários de "maneira criativa" no atendimento dos prazos mediante cadastramento em diferentes agências de tradução disponíveis *on-line*. Essas agências ocupam-se em estabelecer conexões entre a oferta de tradutores nas mais diferentes áreas e a demanda por traduções em diversas especializações.

A proximidade virtual entre tradutor e cliente, todavia, seria limitada e, muitas vezes, incapaz de assegurar a relação de confiança que governa a contratação de um trabalho. Embora vivamos em uma era em que muitos dos contatos e relacionamentos se dão via teclado e por um clique de um *mouse*, não seria possível dizer o mesmo em relação à tradução, pois, como explicam Biau Gil e Pym (2006, p.7),

> a tradução é ainda um serviço que depende de um alto grau de confiança entre o tradutor e o cliente. Poucos dos trabalhos com alta remuneração vêm de clientes jamais vistos; os honorários pagos em países diferentes variam bastante; os melhores contatos ainda são provavelmente aqueles feitos face a face ou por indicação.

A mobilidade extraterritorial proporcionada pela internet apresenta também limitações. Na atualidade, frequentemente atrela-se a qualidade tradutória à possibilidade de a tradução ser realizada no país da língua alvo. Outro fator que influencia a procura por um tradutor seria a conhecida lei da oferta, a qual a internet também teria se encarregado de tornar abundante e, por esse motivo, nem sempre favorável à remuneração do tradutor. Para Bert Esselink (2001), diretor de uma empresa europeia de consultoria de serviços de globalização, a qualidade de um texto, traduzido no país da língua alvo, é, em geral, mais alta e o preço muitas vezes sensivelmente mais baixo. Experimente solicitar um orçamento de tradução do holandês para o mandarim na Holanda e na China e entenderá o que quero dizer. A internet possibilitou o rompimento dessas barreiras. Via internet, é igualmente rápido e barato enviar documentos para tradução tanto para o local mais remoto do planeta quanto para o escritório vizinho. (apud Cronin, 2003, p.46)

Esselink assenta sua convicção de obter uma tradução "de alta qualidade" no dinamismo da produção tradutória pela capacidade de recuperação de significados já estabelecidos no texto de origem e que, traduzidos para as línguas de interesse, seriam naturalmente aceitos e válidos em contextos culturais diversos. Por esse ponto de vista, a figura do tradutor seria considerada mais como a de um "propagador" de significados de uma língua para outra(s). Ao focar no vencimento da barreira da distância e na valoração da relação custo-benefício na contratação de uma tradução, Esselink privilegia a obtenção do produto final e a receptividade que esse poderá ganhar nos países para os quais será produzido.

Com o foco no produto final, considerar a mediação do tradutor como parte do processo parece ir contra o fluxo urgente de transmissão de informações e de comunicação, em que são valorizadas trocas rápidas e presumidamente diretas. Conforme constata Cronin (2003, p.49),

de fato, a tendência em um mundo de compressão tempo-espaço é favorecer intercâmbios de primeira ordem em vez daqueles de segunda ordem, isto é, transações rápidas limitadas em tempo e envolvendo contato limitado em vez de compromissos mais longos, multidimensionais e complexos.

A comunicação contemporânea, de acordo com Cronin, valorizaria "transações rápidas e de tempo limitado" e não mais compromissos duradouros, os quais caracterizariam os "intercâmbios de segunda-ordem" mencionados. Conforme argumenta, a pressão exagerada que a tecnologia da informação exerce sobre o modo como nos comunicamos faz que a atenção seja deslocada do processo para o produto e não se consideram os desafios e o tempo que se impõem para que o tradutor construa a comunicação em outra língua. Nesse meio de comunicação composto por diversidades culturais e linguísticas que se aproximam somente no plano virtual, a tradução figura, concomitantemente, como uma necessidade e uma lembrança da impossibilidade de se anular a pluralidade de línguas e culturas.

A presença do tradutor como mediador da tradução faz dessa um trabalho incômodo, porém indispensável para possibilitar a comunicação e a compreensão entre usuários-falantes de diferentes línguas que, idealmente, deveriam realizar-se de maneira direta e neutra. A irrealizabilidade dessa condição faz que o tradutor ocupe uma posição paradoxal no mundo da globalização, na qual

> parte de seu papel profissional é precisamente facilitar a proliferação de intercâmbios de primeira-ordem, em que uma pessoa não é obrigada a passar anos aprendendo uma língua para realizar negócios no exterior por causa da presença do tradutor e do intérprete, e, entretanto, os próprios tradutores são definidos por seu compromisso vitalício com intercâmbios de segunda ordem. (Cronin, 2003, p.49)

A intervenção da interpretação do tradutor, inseparável de seu trabalho de construção da comunicação entre falantes de línguas diferentes, opõe-se à tendência mundial, que valoriza o acesso imediato ao conteúdo de um enunciado. A exigência da tradução permeando o esforço para alcançar o Outro é uma constante lembrança de que, embora pessoas possam aparentar estarem mais próximas graças às conquistas no setor da tecnologia da comunicação, elas ainda permanecem afastadas pela distância cultural e pela diversidade linguística.

O desejo de uma comunicação em diferentes línguas instantaneamente inteligíveis, em uma era em que a diversidade linguística
pode constituir uma barreira, é denominado por Cronin (2003,
p.60) de "novo-babelianismo". A superação desse obstáculo estaria, para muitos, na adoção de uma única língua que, em sua
"posição dominante", seria traduzida para aquelas consideradas inferiores, cabendo aos falantes dessas encarregarem-se dos custos da
tradução. Na visão de Cronin, os esforços para que a língua inglesa
permaneça como a língua da comunicação global teriam particularmente em vista o deslocamento do "ônus da tradução" para aqueles
que não falam a língua dominante e que "não só devem se traduzirem para o inglês, como traduzirem do inglês para sua própria
língua" (ibidem). A ênfase na criação e manutenção de um contexto
pré-babélico de comunicação acabaria por eliminar as vozes de
línguas consideradas inferiores (e que mantêm um *status* de línguas
traduzidas) em relação àquelas concebidas como "originais".

Por outro ângulo, quando admitimos a posição privilegiada que
a língua inglesa ainda ocupa em relação às demais línguas envolvidas no processo da globalização, necessariamente temos que considerar o papel que a tradução desempenha nos vários sentidos em
que ela se realiza (língua inglesa para as demais línguas, demais línguas para língua inglesa, e tradução entre as diversas línguas) para
promover a comunicação entre falantes de diferentes línguas. Como
explica Cronin (2003, p.61), "a era global não significa somente um
aumento em tradução de uma língua dominante. Significa também
um aumento significativo e constante de tradução entre línguas".

A constatação de Cronin confirma-se em outro estudo de Graddol (2003) intitulado "The decline of the native speaker" [O declínio do falante nativo], em que são apresentados dados sobre a
crescente e acentuada diminuição da população mundial considerada falante de inglês como língua nativa e o crescimento popula-
cional em locais em que o inglês não é falado como primeira língua.
Essas mudanças na distribuição de falantes de inglês não signifi-
cam, como explica Graddol (2003, p.157), que essa língua deixará
de ocupar uma posição influente na comunicação global, pois,

o evidente declínio na posição de falantes nativos de inglês não é precursor da diminuição da importância da língua inglesa. O status futuro do inglês será menos determinado pelo número e pelo poder econômico de seus falantes nativos do que pelas tendências no uso do inglês como segunda língua.

As "tendências" a que Graddol se refere dizem respeito ao deslocamento, observado em seus estudos, em direção à adoção do inglês como língua da comunicação, tanto em países europeus como em não europeus, um ato sintomático do aumento do bilinguismo e do multilinguismo e da renúncia da ideia de que o uso do inglês teria como consequência o abandono das línguas maternas de cada país.

O inglês, ou "ingleses", que figura como língua franca no cenário contemporâneo globalizado paga o preço do "hibridismo inevitável" (Rajagopalan, 2005, p.155) que lhe acomete, ao mesmo tempo que se traduz para outras línguas a um ritmo que se tornou típico da era da comunicação virtual. O atendimento às exigências de prazo e custo desse mercado depende, na contemporaneidade, de investimentos no desenvolvimento e da adoção por tradutores das ferramentas de auxílio à tradução, como programas de tradução automática e sistemas de memórias de tradução, especialmente para trabalhos para a indústria de localização, que evolui ao ritmo da economia global.

A expansão da atuação da tradução no segmento da localização somente tem sido possível pelo emprego de meios que permitam ao tradutor apresentar respostas rápidas às necessidades do mercado atual que se desenvolve e que exige qualificação para o trabalho com documentação, terminologia, revisão e uma série de outras atividades específicas desse mercado de trabalho e que serão tratadas a seguir.

O espaço da tradução na indústria de localização

A informatização da economia vem promovendo mudanças profundas e definitivas no modo como as empresas que integram o mercado digitalmente globalizado realizam contatos e conduzem seus negócios. A atividade de localização originou-se da necessidade de empresas internacionais criarem formas de conquistar novos públicos e consumidores de produtos cuja oferta era anteriormente limitada em razão da inexistência de meios de contato com potenciais consumidores.

Segundo Esselink (2006), o deslocamento do uso de programas de *hardware* e *software* do universo acadêmico e empresarial para o ambiente do usuário comum na década de 1980 gerou a necessidade de criar e adaptar os recursos desses programas às exigências e às necessidades de um público cujas preferências eram, naquela época, desconhecidas. Os então novos usuários de computadores pessoais criaram uma demanda por *softwares* e outros aplicativos que não somente os capacitassem a trabalhar de modo mais eficaz, mas atuassem em harmonia com os padrões e hábitos locais. Assim,

> processadores de texto, por exemplo, necessitavam suportar a entrada, o processamento e a saída de conjuntos de caracteres em outras línguas, recursos linguísticos específicos, tais como a hifenização e a ortografia, e uma interface do usuário na língua local do usuário. (Esselink, 2006, p.22)

Essas modificações foram, em princípio, vistas como um grande desafio para a indústria de desenvolvimento de programas informatizados, como explica Debbie Folaron (2006), professora e pesquisadora em tradução e localização na Universidade Concórdia, em Montreal, Canadá. Para os programadores e engenheiros de *software* atuando majoritariamente no desenvolvimento de programas em língua inglesa na costa oeste dos Estados Unidos, a integração da tarefa de adaptação desses produtos a mercados internacionais significava adicionar um estágio de trabalho linguística e culturalmente estrangeirizador muito diferente da rotina com a qual estavam acostumados, de programação, escrita e produção técnica para o mercado doméstico. Essas novas exigências, entretanto, foram muito bem recebidas por tradutores e agências de tradução que,

desde então, começaram a se munir de recursos, em forma de ferramentas eletrônicas e outras tecnologias, para dar conta das novas
exigências de um ascendente mercado de traduções.

O termo localização é, na atualidade, associado à atividade que
envolve a tradução e a adaptação linguística e cultural de materiais
em formato eletrônico – *softwares*, páginas da internet, jogos, aplicativos eletrônicos e outros tipos de produtos de alta tecnologia
– para os mercados locais específicos onde serão introduzidos e
comercializados (Esselink, 2000).

Sendo um ramo que tem se desenvolvido paralelamente à implementação das novas tecnologias de informação e comunicação, a
chamada "indústria de localização" opera com materiais em formato digital e em contínua mutação, um fato que a obriga à atualização
rápida e constante de suas atividades. As atividades envolvidas
no processo de localização são, em geral, resumidas pela sigla em
inglês GILT, em referência às atividades de Globalização, Internacionalização, Localização e Tradução.[1]

Especificamente na indústria de localização, o processo de
globalização envolve um conjunto de estratégias para o desenvolvimento, a tradução, a comercialização e a distribuição de um produto em escala mundial. Globalizar um produto envolve a procura
por oportunidades de inseri-lo em mercados estrangeiros e, para
tanto, implica o planejamento de ações e de adaptações na concepção de sua primeira versão, realizadas em uma etapa posterior, conhecida como internacionalização, para possibilitar sua adequação
aos mercados em que será introduzido, conduzida pelo trabalho de
localização.

O trabalho de internacionalização de um produto realiza-se na
medida em que se desenvolvem seu projeto e a composição da documentação que o acompanhará, e busca, desde o início, a generali-

---

1 Sigla criada pela Associação de Padrões da Indústria de Localização (*Localization Industry Standards Association* – LISA), que tem por membros as
empresas atuantes na área de localização e cujo endereço eletrônico é <www.
lisa.org>.

zação na composição das informações que descrevem determinado produto, de forma que ele seja capaz de ser oferecido em diferentes línguas e para convenções culturais diversas sem a necessidade de alterações significativas em sua concepção. Nessa etapa, dois aspectos fundamentais de produção para viabilizar a localização são a inclusão de recursos compatíveis com caracteres específicos de uma língua (como aqueles usados pelo japonês, ou pelo chinês) e a separação do material textual do código fonte do *software*. Durante a fase de tradução, somente o texto a ser traduzido e editado é exibido ao tradutor, de forma a evitar que os códigos de funcionamento do programa sejam alterados. As estratégias da internacionalização são frequentemente denominadas "redação para tradução" ou "redação para um público global", e são aplicadas também nos arquivos de ajuda que acompanham os programas de *software* e, cada vez mais, em páginas de internet de empresas internacionais, um trabalho conhecido como "globalização de *web site*" (Esselink, 2000, p.3).

Ainda na fase de internacionalização, atenção especial é dedicada para que materiais textuais de programas em desenvolvimento sejam preparados de forma a garantir sua funcionalidade e aceitação nos mercados para os quais serão direcionados e a assegurar que esses sejam passíveis de ser localizados em uma etapa seguinte. Os trabalhos desenvolvidos durante a fase de internacionalização são essenciais para sucesso da localização e da apresentação de um produto, por isso a documentação correspondente aos programas em desenvolvimento requer uma redação concisa, clara e desprovida de jargões ou gírias, e de referências culturalmente específicas. Estratégias de controle de uso da língua e do estilo de elaboração textual buscam garantir a uniformização da tradução da documentação dos programas, além de prometerem as seguintes vantagens para a produção tradutória:

- A informação apresentada pode ser interpretada *somente de uma forma*, reduzindo a ambiguidade e melhorando a legibilidade.
- O uso consistente do estilo e da terminologia é imposto e controlado.

- A traduzibilidade do texto é aprimorada, especialmente quando ferramentas de auxílio à tradução como, por exemplo, a tradução automática são usadas no processo de localização.
- O prazo para comercialização dos produtos localizados é reduzido devido ao *aumento da velocidade* da tradução, em geral, de 25%. (Esselink, 2000, p.30, grifos meus)

Manuais de estilo e programas específicos para controlar a terminologia e a composição dos textos de origem são bastante utilizados nessa fase com o objetivo de reduzir custos e prazo durante a etapa de tradução. Além de garantir o cumprimento dos prazos de entrega do produto final, o uso simplificado da língua tornaria possível também seu processamento automático ou semiautomático, por meio de programas de tradução automática e de sistemas de memórias de tradução, ferramentas de grande utilização em trabalhos de localização, auxiliando, em especial, a padronização de projetos de tradução desenvolvidos por vários tradutores.

Como sugere Hine Jr. (2000, p.21) – no artigo "Writing for translation", publicado no periódico *Multilingual Computing and Technology*, cujo público-alvo abrange especialmente prestadores de serviços de localização –, a redação do material de origem para localização tem por "objetivo informar, não entreter", por isso, "um bom [material] de não ficção usa a mesma palavra para um dado significado sempre que ela ocorre". A repetição de palavras seria uma forma de facilitar a padronização terminológica e estilística do texto a ser localizado, e seu posterior processamento automático ou semiautomático mediante armazenamento para reaproveitamento de opções utilizadas.

Folaron (2006, p.200) também relata o emprego de manuais de estilo de linguagem e terminologia controlada como uma das principais estratégias aplicadas durante a fase de internacionalização para produzir um "conteúdo de origem que seja tão linguística, cultural e tecnicamente neutro quanto possível a fim de facilitar a localização subsequente". As estratégias adotadas vão desde a contenção do uso de referentes culturais específicos da língua de origem dos programas à implantação de códigos-fonte que sejam funcionais para diferentes locais.

Helbich (2006, p.4), diretor de uma empresa de produção e tradução de documentação multilíngue, também defende a adoção de uma escrita controlada para composição de materiais textuais a serem localizados. Conforme enumera, a prática de "escrita para reutilização" contaria com três elementos principais que garantiriam seu reaproveitamento em atualizações futuras de documentação, assim como a redução nos custos e prazos de tradução: um conjunto de "regras práticas de autoria", uma ferramenta de memória para consulta e recuperação do *corpus* de origem nela armazenada e um sistema de memória de tradução, utilizado de preferência em sintonia com a memória de autoria, a fim de propiciar o máximo de reaproveitamento de traduções já realizadas. A eliminação de informações consideradas "irrelevantes" no texto de origem seria uma das formas de proporcionar ganhos em tempo e prazo no trabalho de localização, como no exemplo seguinte:

Texto de origem em inglês sem autoria controlada	Texto de origem em inglês com autoria controlada
If you add any label to a CD, insert more *than one CD into the slot at a time, or attempt to play scratched or damaged CDs, you could damage the CD player. When using the CD player, use only CDs in good condition without any label, load one CD at a time, and keep the CD player and the loading slot free of foreign materials, liquids, and debris.*	*Do not apply paper labels to discs. The labels may get caught in the player. Keep the loading slot free of foreign materials, liquids and debris. Do not use scratched or damaged discs.*

O texto de origem não controlado faz uso dos recursos de parataxe e hipotaxe em sua composição, ao passo que o texto regulado é composto somente por orações absolutas com orientações concisas. O emprego de um menor número de palavras e frases mais curtas seria um meio de garantir a redução dos custos da tradução de duas formas: em primeiro lugar, pela diminuição do número de palavras a serem traduzidas (o que reduziria a remuneração do tradutor); e, em segundo lugar, pelo aumento das chances de reaproveitamento de segmentos anteriormente traduzidos e armazenados na memória que, em geral, não são remunerados quando recuperados desses bancos de dados. Um exemplo estaria na estratégica substituição do termo "CD" por "disco", o que permitiria a reutilização parcial, ou mesmo total, desse material textual como referência a DVDs.

O foco na delimitação do uso de recursos lexicais e sintáticos, na remoção das especificidades textuais e na padronização do material de origem é algumas das práticas adotadas durante o processo de internacionalização. As ações planejadas para essa etapa não teriam a função somente de controlar os custos e o tempo do processo de localização, mas, em particular, de assumir uma "posição controladora" do significado a ser traduzido e adaptado para os mais diversos *locales*.[2]

Como sustenta Pym (2004a, p.30), em *The moving text: localization, translation, and distribution*, os trabalhos envolvidos no estágio de internacionalização assumem uma função ideológica que implica a noção de que "um único texto 'internacional' será adequado para todos os *locales*, de alguma forma colocando nossa tecnologia nos tempos anteriores à Torre de Babel". Nesse cenário, as tentativas de padronização linguística fariam do inglês, língua de origem da maior parte dos materiais textuais produzidos para localização, uma espécie de língua auxiliar da comunicação que, submetida a determinados moldes de expressão, possibilitaria também a automação de sua tradução para outras línguas, acelerando a distribuição da documentação assim elaborada. Pym (2004a, p.36) equipara as táticas de padronização linguística da língua inglesa, empregadas durante a internacionalização, a um trabalho de "tradução controlada", im-

---

2 O termo *locale* diz respeito a um local com características culturais e linguísticas específicas. O conceito de localização teria sido criado a partir desse termo, que combina a região em que um idioma é falado e o conjunto de caracteres que o representa. Um exemplo seria o português do Brasil e o português de Portugal, que fazem que esses países sejam considerados diferentes *locales*.

plantado há algum tempo na tradução de documentações na União Europeia, "onde o inglês está se aproximando de uma interlíngua e aqueles que trabalham com essa língua estão, consequentemente, se tornando escrivães ou revisores oficiais, em vez de tradutores".

No presente, sendo a maioria dos produtos e serviços a serem localizados conceituados em uma língua inglesa idealmente padronizada por determinadas regras de redação dos textos de origem, o trabalho de tradução é concebido pela literatura em localização como uma operação de busca e, sempre que possível, de recuperação de equivalentes entre uma língua inglesa "neutra" e as outras línguas. Essa aparente imparcialidade da língua de origem seria uma forma de assegurar também a neutralidade das traduções resultantes. Ademais, todo o trabalho de reconstrução de um texto para outras línguas e culturas, que necessariamente abrange a pesquisa e adequação terminológica, a edição e a reelaboração do leiaute do texto, é minimizado, pois, adaptações e ajustes na organização interna de um produto, nos termos de garantia e até nos formatos de hora, data, e alterações de símbolos, ícones e cores de visualização são considerados como parte de um processo maior, designado localização.

Dependendo do ângulo pelo qual é abordada, a localização pode conduzir a diferentes relações com a tradução, todas, de alguma forma, refletindo as assimetrias na descrição das duas práticas. Para Cronin (2003, p.63), diferentemente da tradução, que tem uma "longa história de dificuldade e aproximação", o uso do termo localização "implica um processo totalmente novo, que se compromete sem esforço com o 'local'", constituindo uma forma de "mais uma vez, tornar invisível e despolitizar a tradução no mundo moderno". De acordo com os teóricos da tradução como Biau Gil e Pym (2006, p.14), a localização seria apenas "um nome extravagante para o ato de adaptar um texto para um público leitor alvo específico, algo que os tradutores fazem há milênios". Segundo Tymoczko (2007, p.66), o termo localização teria sido criado para se referir a traduções "naturalizadas ao extremo para a cultura de chegada" e bastante diversas dos textos que lhe deram origem, desse modo, "desestabilizando distinções tradicionais entre 'original' e 'tradução'". Já para os fabricantes de *softwares* que contratam serviços de localização, por exemplo, a tradução constituiria somente parte do trabalho (maior) de adequação de um produto ao local que será comercializado. A tendência em abordar a localização e a tradução como operações estanques não é isenta de motivos. Tradicionalmente, a tradução é vista como um processo dificultoso e quase sempre incompleto e imperfeito de aproximação entre duas línguas e culturas, conforme discute, por exemplo, Tymoczko (2007, p.115). A ideia preceituada na literatura sobre localização seria a de que se trata de um processo que, partindo de uma língua de origem pré--condicionada e pretensamente neutra, teria sempre sucesso na "conquista" do significado local, como exemplificam as análises de Cronin (2003) e Pym (2004a). Para obter êxito em trabalhos de localização, a tradução deve procurar reaproveitar o maior número possível de opções anteriores, uniformizando as escolhas de forma a evitar, por exemplo, o redimensionamento das caixas de diálogos dos programas, quando localizados para outras línguas. Ao consignar o trabalho de adaptação cultural à etapa de localização, a tradução passa a ser, como caracteriza Pym (2004a, p.51), "reduzida a algo muito pequeno, talvez o aspecto menos interessante da localização".

A declaração de Julian Perkin em um artigo sobre localização publicado no jornal *Financial Times* da Irlanda, considerado um país expoente da indústria da localização, constitui a visão exemplar do papel da tradução nessa indústria. Segundo afirma,

o processo de localização é complexo e se estende muito além da tradução. As sensibilidades culturais devem ser respeitadas no uso da cor, do estilo, das formas de endereçamento e da seleção de imagens e representações gráficas. As necessidades práticas exigem a conversão das unidades de medida e de padrões, tais como pesos e moedas. Modificações mais fundamentais são frequentemente necessárias, por exemplo, em um *software* de finanças, que pode ser ajustado segundo sistemas específicos de contabilidade e tributação. (Perkin, 1996 apud Cronin, 2003, p.86)

Ao atribuir à localização o trabalho de inclusão e ajuste das diferenças, Perkin restringe à tradução o trabalho exclusivamente linguístico, ignorando que muitas das tarefas por ele consideradas fora do escopo da tradução, como aquelas que lidam com as "sensibilidades culturais" do público alvo, são inseparáveis do trabalho com a língua, sendo necessariamente consideradas pelo tradutor ao realizar uma tradução. De fato, afirmações como essa repercutem a arraigada crença na estrita limitação do trabalho do tradutor à transferência de sentidos já determinados de uma língua para outra, ao mesmo tempo que ignoram que à tradução necessariamente importa que o tradutor seja sensível às particularidades culturais das línguas que traduz.

Outra prática que contribui para a depreciação do papel da tradução na indústria de localização está na maneira como a adoção disseminada de sistemas de tradução automática, memórias de tradução e outras ferramentas eletrônicas específicas para localização (como o programa Catalyst, entre outros)[3] é abordada na literatura da área, difundindo a ideia de ser possível simplificar o trabalho de tradução pela instrumentalização de algumas tarefas. Ao contrário, analisa Cronin (2003, p.63), a automação de algumas tarefas "não significa que a tradução se torne menos complicada como fenômeno, mas que há uma transferência parcial do processamento cognitivo do tradutor humano para a ferramenta". A complexidade do trabalho de reconstrução e adequação de um texto de origem para outra língua e cultura não deixa de existir, ainda que o emprego de algumas ferramentas eletrônicas venha a encobrir a atuação do tradutor em trabalhos de localização.

---

3 O programa para localização de *softwares* Catalyst foi desenvolvido pela Alchemy Company, com sede na Irlanda, e é atualmente um dos programas mais utilizados no mercado de localização, conforme atestam as informações disponibilizadas no endereço eletrônico da empresa, <www.alchemysoftware. ie>.

O expressivo aumento de materiais textuais em formato digital a serem traduzidos em prazos inversamente proporcionais ao volume de tradução foi um dos mais importantes propulsores da retomada das pesquisas e do emprego em tradução automática e do desenvolvimento dos sistemas de memórias de tradução na contemporaneidade. A ampla divulgação, na literatura da área, dos atributos desses programas acaba potencializando a atuação da máquina em detrimento do tradutor humano e, ao mesmo tempo, corroborando a visão de que as diferenças entre línguas e culturas são facilmente superáveis com o emprego dessas tecnologias. O discurso contemporâneo que deprecia o trabalho de tradução é o mesmo que promove a noção de possibilidade de intercâmbio transparente entre as línguas; afinal, como ressalta Cronin (2003, p.62), "a condição pós-babeliana é aceita somente se puder ser construída para produzir a ilusão pré-babeliana". A supervalorização do desempenho das ferramentas de auxílio à tradução e a "quase" imposição de sua adoção pelo tradutor que atua no mercado de localização tendem a reaver a imagem da tradução como uma etapa que possa ser facilmente cumprida na possível "passagem" de uma língua para outra.

A criação e a manutenção dessa "ilusão pré-babeliana" podem ser identificadas nos imensos projetos de localização e distribuição de produtos e aplicativos de alta tecnologia da empresa norte-americana Microsoft. De acordo com o relato de Cronin, a política de padronização linguística dos produtos para o mercado externo reflete a visão do sócio fundador dessa empresa, Bill Gates, para o qual o trabalho de localização seria "apenas um processo linguístico", entendido como facilmente controlável e passível de automação. Relegada às "margens da atenção comercial", a localização é planejada e executada de forma a não interferir no planejamento empresarial, por isso a imposição da automação como forma de garantir alta produtividade em prazos cada vez menores (Cronin, 2003, p.62).

A expectativa de se alcançar a uniformização da produção textual de origem para tradução para outras línguas, a fim principalmente de reduzir os investimentos financeiros feitos para o lançamento de um produto no exterior, tornaria as ferramentas automáticas e semiautomáticas de tradução atraentes por serem divulgadas como soluções eficazes para o problema da diversidade linguística e cultural. Na visão de Pym (2002, p.5), a prática de simplificação da língua de origem especificamente para a localização acentuaria a assimetria entre aqueles que produzem e os que consomem esses bens, gerando

> uma segunda divisão tecnológica, não mais entre aqueles que possuem e os que não possuem máquinas, mas entre os usuários ativos e passivos da língua. Na verdade, as formas mais condescendentes de localização dividiriam o mundo entre os produtores textuais, que sempre serão produtores, os consumidores textuais, que só podem permanecer consumidores, e os excluídos, que permanecem não localizados.

A idealizada neutralização das especificidades da cultura de origem de um produto, a fim de aclimatá-lo às culturas que o receberão, constituiria uma forma dissimulada de assegurar a detenção da tecnologia ao Outro, que se posiciona no polo de produção tecnológica. Ao compor e distribuir a documentação de seus produtos segundo interesses mercadológicos, aqueles que retêm o poder da produção mantêm seus usuários na posição permanente de receptores e consumidores dos recursos tecnológicos assim produzidos.

Se tomarmos, a título de exemplificação, a versão para o português do Brasil do Microsoft Windows XP, vemos que os comandos principais, os menus e as caixas de diálogos apresentam suas versões localizadas já padronizadas e que assim são conservados quando o sistema é atualizado. Por outro lado, se necessitarmos de informações mais detalhadas sobre o funcionamento do programa, como os códigos fontes ou a linguagem técnica em que o programa foi desenvolvido, temos, na maioria das vezes, que recorrer ao original em inglês. O usuário de programas localizados como esse é, por meio da política da localização, concebido como um "consumidor passivo" a quem é concedido acesso limitado à língua da tecnologia. Nesse sentido, conceber a tradução exclusivamente como um trabalho automatizado e controlado, que ocupa somente uma das etapas do processo de localização, é uma forma de ocultar as adaptações, inclusões, exclusões e outras adequações pelas quais todo texto inevitavelmente passa ao ser traduzido, além de perpetuar a posição passiva de consumidores de produtos localizados e idealmente neutros.

Dentre as várias etapas de cunho basicamente comercial que são listadas como componentes do processo de localização, entretanto, é especificamente pela tradução que um determinado público aproxima-se de um produto a ele introduzido. Ainda que sua presença seja minimizada na literatura sobre localização, a tradução desempenha o papel principal na recriação de um texto estrangeiro e nas novas relações desse texto com a nova realidade cultural e linguística da qual fará parte e que, por sua vez, pode aceitá-las ou refutá-las, pois, como afirma Pym (2003, s.p.),

a tradução não está operando somente em palavras, mas nas maneiras pelas quais culturas apreendem suas relações. A adoção de uma ou outra estratégia de tradução pode ter um efeito nessas percepções. E essa é uma questão ética de extrema pertinência para a localização. Ela pode influenciar o futuro de nossas culturas nos discursos técnicos mais localizados, especialmente com relação às línguas que estão sendo incorporadas aos meios eletrônicos pela primeira vez.

O acelerado ritmo das inovações tecnológicas empregadas na atividade de localização ganha todo o destaque na literatura da área que, ao se dedicar a tratar do funcionamento das ferramentas empregadas nessa indústria, não leva em conta uma reflexão mais aprofundada sobre a questão de como os textos eletrônicos estão sendo compostos, traduzidos e adaptados para as línguas dos mercados de destino.

Os próximos itens apresentam uma introdução às ferramentas que estão sendo cada vez mais empregadas pelo tradutor contemporâneo. Seja por escolha pessoal ou imposição por aqueles que contratam serviços de tradução, programas de tradução automática e sistemas de memórias de tradução estão se tornando recursos imprescindíveis para o cumprimento das exigências atuais de produtividade e prazo. Para o trabalho em alguns setores do mercado, especialmente aquele da localização, saber utilizar essas ferramentas de modo eficaz parece constituir um requisito tão importante quanto o conhecimento linguístico. Embora a tradução automática não seja ainda amplamente adotada nessa indústria, existem projetos para a integração dessa ferramenta com sistemas de memórias, conforme reporta Esselink (2000). Os principais recursos de cada ferramenta e suas aplicações são discutidos a seguir.

De uma nova concepção de tradução automática como uma ferramenta de produtividade à sua integração às estações de trabalho do tradutor

Uma das formas de reduzir o tempo de elaboração de uma tradução e, ilusoriamente, eliminar os efeitos da intervenção humana na comunicação que se supõe transparente, seria pela instrumentalização do trabalho do tradutor, com o intuito de aumentar seu desempenho pela restrição do tempo de contato com o material a ser traduzido. Essa situação é particularmente reveladora do cenário em que a tradução é praticada na era da globalização. A instantaneidade da transmissão eletrônica de informações ganha primazia sobre o tempo de elaboração e revisão do material textual que circula em meio eletrônico. A retomada das pesquisas e a recuperação dos investimentos em programas de tradução automática representa, no contexto contemporâneo, uma tentativa de atender à demanda criada pelo mercado eletrônico de produção de documentação instaurado na internet que, como tudo que trafega na rede, tem por característica principal a transitoriedade do que nela se disponibiliza.

Anteriormente ao advento da internet, a pretensão sustentada para as pesquisas em tradução automática fundamentava-se na possibilidade de alcançar sistemas completamente independentes e capazes de produzir traduções íntegras, que dispensassem revisão e que fossem concluídas em tempo muito menor do que aquele requisitado pelo tradutor humano. Na década de 1960, constatou--se que os investimentos direcionados ao desenvolvimento de programas que produzissem uma tradução totalmente automática de alta qualidade (conhecida pela sigla em inglês FAHQT – *Fully Automatic High Quality Translation*) não produziram resultados aproveitáveis, como ansiavam seus proponentes. Em um relatório ao Conselho Consultivo em Processamento Automático de Línguas (Alpac) – encomendado pelo governo norte-americano, que então financiava grande parte das pesquisas – concluiu-se que os limitados resultados dos projetos então apresentados eram inexecutáveis e, portanto, recomendou-se a suspensão dos investimentos em pesquisas de programas totalmente automáticos.

O relatório Alpac é considerado uma espécie de linha divisória entre um período de euforia em relação aos primeiros (e restritos) resultados de tradução automática e a interrupção das pesquisas subsidiadas pelo governo dos Estados Unidos, conforme relatado na literatura da área (Hutchins; Somers, 1992; Hutchins, 1995, 1997, 2001, 2007; Austermuhl, 2001; Martins; Nunes, 2005). As conclusões apresentadas por esse relatório redefiniram e redirecionaram as linhas de pesquisa em aplicação de automação em tradução a partir da década de 1970, embora a maioria dos pesquisadores e patrocinadores dos projetos desenvolvidos a partir daquela época tenha persistido no ideal de acesso ao significado em língua estrangeira sem mediação humana.

As pesquisas da era pós-Alpac voltaram-se para projetos de sistemas automáticos que envolvessem assistência humana estritamente na pós-edição da produção traduzida, para a elaboração de modelos teóricos que pudessem contribuir ao aprimoramento dos métodos de automação e para o desenvolvimento de ferramentas eletrônicas de tradução. Todos esses projetos partiam de uma suposta "tradução rudimentar" (*rough translation*) produzida de modo automático e carecendo exclusivamente de lapidação estilística pelo tradutor humano, conforme esclarece Hutchins (2001), um dos teóricos mais representativos do pensamento da área. A ideia de que a automação poderia conduzir a traduções estilisticamente imperfeitas, mas capazes de conferir acesso a um conteúdo em uma língua estrangeira depositado no texto de origem e nele mecanicamente decifrável mostra-se prevalente na literatura e nas propostas de projetos de tradução automática nas últimas décadas. Por essa visão, textos traduzidos de maneira automática atenderiam a duas necessidades "diferentes" que, como relata Hutchins (2007), determinariam o emprego ou não do tradutor *especificamente* para o trabalho de revisão ou "pós-edição" da produção da máquina:

existem basicamente dois tipos de demanda. Há a necessidade tradicional de traduções de qualidade "publicável", particularmente a produção de documentação multilíngue para grandes empresas. Aqui a produção dos sistemas de tradução automática pode economizar tempo ao oferecer esboços de traduções que são depois editadas para publicação – esse modo de uso denominado tradução automática auxiliada por humanos (HAMT). Entretanto, o que é frequentemente necessário não é uma versão "perfeitamente" exata, mas algo que possa ser produzido rapidamente (às vezes, imediatamente), que transmita a essência do original, embora gramaticalmente imperfeito, lexicalmente desajeitado e estilisticamente grosseiro. Este é, em geral, denominado "tradução automática para assimilação", em contraste com a produção de traduções de qualidade publicável, conhecidas como "tradução automática para disseminação". (Hutchins, 2007, p.1)

Observa-se, pelo relato de Hutchins, que em ambas as demandas por tradução que enumera, os sistemas automáticos atuam como *realizadores efetivos* do trabalho de tradução, seja acelerando a conversão de significados de textos estrangeiros para as línguas traduzidas com fins de publicação, seja oferecendo uma "versão" que, embora com reconhecidas restrições na forma, apresentaria "a essência do original". Somente em situações que uma tradução fosse encaminhada para publicação, o tradutor atuaria como coadjuvante ao trabalho da máquina, restritamente na adequação da forma de apresentação de um significado já recuperado de sua origem.

Por outro ângulo, no entanto, é possível afirmar que o olhar humano está sempre presente, em ambas as situações de aplicação de automação. Na tradução para "assimilação", o sentido da produção automática só é conferido pela interpretação humana que constrói o significado não obstante "gramaticalmente imperfeito, lexicalmente desajeitado e estilisticamente grosseiro". Na produção para disseminação, o trabalho humano (nesse caso específico, do tradutor) seria muito mais abrangente do que a pós-edição da tradução automática. Sua atuação estende-se à elaboração do sentido conferido à produção automática para a devida conciliação entre o mecânico e a elaboração textual.

A concepção contemporânea da função da tradução automática ganha, pelo discurso de Hutchins, uma nova "roupagem", propositalmente mais aprazível aos críticos de outrora, porém ainda comprometida com os ideais primeiramente concebidos e perseguidos para a máquina. O anseio, por muito tempo gerado pelos projetos em tradução automática, da possibilidade de substituição do tradutor concede lugar à imagem de que esses sistemas são capazes de atuar com maior eficácia como "ferramentas de produtividade" para o tradutor.

Levada às últimas consequências, essa aparente mudança de postura em relação aos sistemas de tradução automática revela transformações na produção e na recepção de textos assim traduzidos. Na produção de textos com fins de "disseminação", o reconhecido fracasso de se adaptar a máquina à expressividade das línguas tem, na era contemporânea, promovido esforços no sentido de adequar e controlar a língua de origem para possibilitar a aplicação de processamento automático, como já foi discutido na localização e será mais adiante exemplificado na tradução automática. Em textos destinados à "assimilação" de informações, como demarca Hutchins (1999), a recepção de materiais traduzidos automaticamente também é influenciada na medida em que a expectativa com relação à produção da máquina se restringe ao fornecimento das informações "contidas" no texto. Usuários de sistemas automáticos, para ter acesso ao conteúdo de origem, contentam-se em "extrair o que precisam saber de uma produção [traduzida] não editada. Preferem ter uma tradução, por mais precária que seja, do que nenhuma tradução" (Hutchins, 1999, p.2).

A crença na capacidade de a máquina extrair palavras e construções frasais do texto de origem e transpô-las para outra língua, por mais incoerente que seja o texto assim elaborado ao usuário, tem estimulado o desenvolvimento de sistemas comerciais de tradução para uso em computadores pessoais. O acelerado ritmo atual da comunicação eletrônica favorece a automação na medida em que exige, em contrapartida, resposta quase instantânea a tudo que é produzido, independentemente das línguas envolvidas. Desde sua criação, a internet tem sido um grande estímulo ao desenvolvimento e à aplicação de sistemas automáticos específicos para tradução de páginas e documentação eletrônicas. A ampla oferta de programas gratuitos de tradução de páginas eletrônicas, por um lado, torna possível que empresas e organizações divulguem informações e serviços a usuários e potenciais clientes que desconheçam a língua original dessas páginas.

A rede mundial constitui um meio que favorece a assimilação rápida e superficial de informações por usuários que, pelo fato de não possuírem nenhum ou limitado conhecimento de línguas estrangeiras, têm se contentado com a produção de traduções que consideram funcionais para seus objetivos. Sistemas como o Google Tradutor,[4] o Babelfish,[5] e *softwares* como o Power Translator,[6]

---

4 Sistema disponível no endereço eletrônico: <http://www.translate.google.com.br>. Acesso em: 1º ago. 2014.
5 Sistema disponível no endereço eletrônico: <http://www.babelfish.com>. Acesso em: 1º ago. 2014.
6 Sistema automático desenvolvido pela empresa norte-americana Globalink Translation Systems.

e o Babylon[7] são exemplares dos programas oferecidos gratuitamente (muitas vezes, com restrições de funções dos programas) ou para aquisição na internet. Na atualidade, a grande maioria desses sistemas é baixada da página de seu vendedor. Embora a maior parte da produção de programas como esse seja "truncada e quase incompreensível", como atesta Hutchins (2001, p.11-12), o crescente número de usuários parece indicar que a demanda está sendo atendida.

Em *An introduction to machine translation* [Introdução à tradução automática], Hutchins e Somers (1992) atribuem aos programas automáticos de baixo custo ou gratuitos na internet o papel exclusivo de produzir "traduções rudimentares" para fins de assimilação geral das informações de um texto, sendo utilizados, com frequência, por especialistas de uma determinada área do conhecimento que necessitam obter informações a partir de documentações redigidas em língua que desconhecem. Como exemplificam, programas como esses seriam muito empregados por cientistas anglo-americanos para leitura de relatórios sobre tecnologia espacial redigidos em russo. Outro contexto de aplicação desses sistemas é encontrado no Japão em que usuários monolíngues empregam a automação para traduzir conversas *on-line* com usuários na Europa e nos Estados Unidos. A comunicação é estabelecida por escrito e as mensagens digitadas seriam traduzidas quase instantaneamente, poupando o tempo que seria necessário para elaborar uma carta, traduzi-la, enviá-la e, novamente, traduzir sua resposta. Procurando justificar as limitações da produção do que denominam "tradução automática de baixa qualidade", esses pesquisadores explicam que

é improvável que a produção de um sistema de tradução automática seja muito boa, mas, para leitores técnicos, com conhecimento sufi-

---

7 *Software* que reúne diversos dicionários e realiza tradução de textos entre diversos pares de línguas, conforme informações encontradas no endereço eletrônico da empresa em <http://www.babylon.com>. Acesso em 29 jul. 2014.

ciente de uma área, que sabem o que está acontecendo na ciência de modo geral e que conseguem, até mesmo, adivinhar o assunto de um artigo, ela pode muito bem fornecer material suficiente para, pelo menos, *apresentar uma ideia do conteúdo de um texto*. (Hutchins; Somers, 1992, p.157, grifos meus)

Nota-se, em Hutchins e Somers (1992), a reiteração do discurso de que a automação, embora com reconhecidas limitações, é capaz de recuperar o conteúdo do texto de origem, bastando ao usuário desses programas estabelecer a direção da tradução entre os vários pares linguísticos oferecidos pelos diversos sistemas. Esse pensamento também desconsidera o fato de que "a ideia do conteúdo de um texto" não é transmitida automaticamente, mas gerada pela leitura e interpretação do leitor/tradutor do texto.

Especialmente em uma era em que a maior parte da comunicação realiza-se em rede e em tempo real, a aplicação da automação é favorecida por oferecer a promessa de resultados rápidos que, conforme consta na literatura da área, requereriam unicamente edição posterior. Para Cronin (2003), o próprio meio eletrônico em que a comunicação se estabelece acaba impondo prazos cada vez menores para o constante processo de revisão e atualização de textos e informações em formato eletrônico, promovendo, em consequência, mudanças no modo como esses materiais são recebidos, lidos e, até, respondidos. Conforme argumenta,

se a pressão em uma economia informacional e global é para obter informações o mais rápido possível, então a função de informar os pontos principais torna-se suprema na tradução, uma tendência que pode ser incentivada pela "ausência de peso" das palavras na tela com sua existência evanescente. (Cronin, 2003, p.22)

Cronin relaciona as características atuais da composição de materiais escritos em formato digital à adoção da tradução automática por um número progressivo de usuários da internet que, como afirma, estão mais dispostos a aceitar traduções automáticas, mesmo que consideradas de "baixa qualidade", não somente pela gratuidade dos programas oferecidos na rede, mas, principalmente, pelo *status* efêmero do mundo eletrônico" e da produção textual que nele circula (ibidem, p.22).

Apesar da grande oferta de programas de tradução *on-line*, a aplicação da automação no contexto comunicativo e digital contemporâneo não constituiria, segundo Hutchins (2001), uma influência negativa para a demanda e a contratação de tradutores humanos. Ao contrário, o desenvolvimento e a aplicação desses sistemas estariam criando novas oportunidades de atuação para esses profissionais, pois, como argumenta, na medida em que a máquina os mune de recursos para traduzir e atualizar documentações extensas e repetitivas, como manuais técnicos e informações em bancos de dados, o tempo de trabalho humano também seria reduzido, possibilitando a dedicação a novos trabalhos.

Por outro lado, o crescente emprego da automação para atender à demanda de "disseminação" designada por Hutchins tem delineado um novo perfil para o tradutor contemporâneo, que passa a ser contratado basicamente como um encarregado de revisar a produção automática para publicação. A revisão, basicamente entendida como uma etapa de trabalho que se segue ao de tradução, passa a ter uma característica peculiar em textos traduzidos de forma automática. O tradutor encarrega-se de avaliar e adequar um trabalho que tem por vantagem a rapidez de conclusão e, supostamente, a precisão e padronização terminológica. A supervalorização desses atributos desconsidera o fato de um texto tido por "técnico", como manuais, não ser constituído apenas por termos especializados (os quais são armazenados na memória do programa e dela recuperados de forma imbatível), mas, em uma frequência muito maior, por palavras de uso corrente, consideradas não técnicas. Na construção do sentido, o trabalho de revisão elaborado pelo tradutor envolve necessariamente a tradução dessas ocorrências e sua adequação aos termos traduzidos de forma automática. Denominado "pós-edição", o trabalho do tradutor é, em mais esse segmento, desvalorizado.

Uma situação que evidencia o emprego de tradutores especificamente para a tarefa de revisão da tradução automática de textos
técnicos é constatada em empresas transnacionais, como a fabricante de máquinas e equipamentos para construção Caterpillar. De
acordo com um estudo de caso elaborado por Lockwood (2000),
essa empresa foi pioneira na implantação de regras de controle de
redação de seus textos de origem (manuais) para aplicação de automação na tradução desse material para as diversas línguas dos
países para os quais seus produtos são exportados. Conforme relata, mais da metade da produção de equipamentos para construção
da Caterpillar é voltada a países emergentes, onde a empresa opera
por meio de representantes e distribuidores, por isso, "fornecer
informações sobre um produto nas línguas locais é uma questão estratégica para a Caterpillar" (Lockwood, 2000, p.188). Os esforços
de produção no estágio de pré-edição (ou redação) dos textos de origem concentram-se em reduzir o tempo e os custos de tradução durante a fase de pós-edição, após aplicação da tradução automática.

Na União Europeia, um dos mais antigos e maiores usuários da
tradução automática, também se constata o emprego de tradutores
para pós-edição de traduções. O sistema mais utilizado, o Systran,[8]
encarrega-se de uma produção peculiar: as primeiras versões (ou
pré-traduções) de um documento que será traduzido para as várias
línguas dos países-membro. Para tornar possível a aplicação da automação, grande parte dos documentos produzidos foi digitalizada
e vários dicionários bilíngues, compilados.

Como relata Brace (2000), a maior parte dos usuários do Systran
não são tradutores, mas funcionários dos vários departamentos
administrativos que empregam esse programa para obter uma primeira tradução, ainda que limitada, de um documento. A tradução
automática é usada também para orientar a produção de minutas
de documentos, posteriormente encaminhados aos tradutores do

---

8 O Systran é comercializado como um provedor de soluções de tradução automática, conforme informado na página eletrônica da empresa, disponível em:
<http://www.systransoft.com>. Acesso em: 23 jul. 2014.

Serviço de Tradução da União Europeia, que reúne mais de 1.500 profissionais.

Os relatos de Lockwood (2000) e Brace (2000) comprovam que a aplicação da automação acelera a produção da tradução por sua capacidade de comparar e recuperar termos técnicos e, nos casos de autoria controlada do texto de origem, frases e expressões recorrentes. Por outro lado, não fica nítido o limite que separa o trabalho de tradução automática e de pós-edição humana, este considerado somente um estágio de adequação e revisão daquele. Não se pode conceber como estanques os trabalhos de tradução e revisão textual, ainda que a tradução tenha sido automatizada. Ao revisar a produção da máquina, o tradutor traduz e confere sentido a determinado texto de acordo com sua interpretação da tradução automática e com a imagem formada do público-alvo de seu trabalho.

Como, no entanto, mostra a prática e relata a literatura (Bowker, 2003; Cronin, 2003; Pym et al., 2006), a mudança no papel atribuído ao tradutor, de controlador do estilo e do conteúdo da tradução para a de ator coadjuvante e submisso às restrições da produção automática, requer o desenvolvimento de novas habilidades em seu trabalho. Entre elas, está a incorporação de recursos eletrônicos que o auxiliem na elaboração da tradução final. Alguns desses recursos foram propostos muito antes das ferramentas atualmente conhecidas envolvendo controle da produção de origem para a tradução automática.

No início da década de 1990, tendo em vista a insatisfação de alguns pesquisadores com relação às restrições experimentadas no emprego da automação, algumas ferramentas de auxílio ao tradutor começaram a ser reunidas em "estações de trabalho" (*translator's workstation* ou *translator's workbench*). Essas estações reuniam processadores de texto e ferramentas de gerenciamento terminológico, incluindo pesquisa automática em dicionários eletrônicos e acesso a um banco de dados com traduções anteriores, além de um sistema de tradução automática.

Um dos recursos mais utilizados nas estações de trabalho do tradutor é aquele de compilação e gerenciamento de dados terminológicos. Os "bancos de dados terminológicos", como são denominados na literatura da área, reúnem entradas com informações sobre termos e os conceitos que representam, podendo informar a definição de um termo, seus contextos de uso, termos considerados "equivalentes" em outras línguas, ou instruções gramaticais (Bowker, 2003, p.50).

Desde o início, os bancos de dados terminológicos foram recebidos de maneira bastante positiva, principalmente por tradutores atuando em áreas específicas do conhecimento, seja de maneira autônoma para diversos clientes, seja por contratados exclusivos de uma indústria ou organização governamental que empregam estratégias de controle da composição original. Os avanços tecnológicos e as descobertas de novos conceitos, técnicas e produtos promoveram grandes mudanças na terminologia de muitas áreas científicas e técnicas e, com elas, tornou-se primordial implantar meios de padronizar a tradução de termos especializados para outras línguas, assim como o grande volume gerado de recursos de informação e pesquisa.

A concepção dos primeiros bancos de dados terminológicos de grande-escala no início ainda na década de 1970, como o Eurodicautom[9] e o Termium,[10] foi um passo significativo nas técnicas de investigação terminológica em tradução, não só fornecendo informações sobre os termos pesquisados, mas também pelos dispositivos oferecidos para compilação de dicionários e glossários terminológicos para a produção de glossários para tradução auxiliada por máquina e para acesso direto *on-line* a bancos de dados termi-

---

9 Base de dados multilíngue da União Europeia que esteve em funcionamento até 2007 e que permitia a consulta automática de equivalências terminológicas nas línguas oficiais e de trabalho dos países membros. Essa base foi substituída pelo IATE – *Inter Active Terminology for Europe*, base multilíngue disponível para consulta *on-line* pelo endereço eletrônico: <http://iate.europa.eu/iate-diff/SearchByQueryLoad.do?method=load>. Acesso em: 15 jul. 2014.

10 Base de dados bilíngue (inglês e francês) criada pela Universidade de Montreal no Canadá em 1970, como um repositório terminológico para os serviços de tradução desse país (Hutchins, 2005).

nológicos multilíngues e a textos já traduzidos, por meio de índices de localização de arquivos (Hutchins, 2005, p.291).

Bancos de dados terminológicos para uso individual foram oferecidos para acesso público somente na década de 1980 e, juntamente com o surgimento dos computadores pessoais, constituíram um dos primeiros conceitos de ferramenta para auxílio à tradução que emulavam a concepção das bases de dados citadas. Entretanto, como explica Bowker (2002), os bancos eram bastante limitados, uma vez que funcionavam em um só computador e sem possibilidade de compartilhamento de dados, "permitiam somente gerenciamento simples de terminologia bilíngue e impunham restrições consideráveis no tipo e no número de campos de dados, assim como na quantidade máxima de dados que podiam ser armazenados nesses campos" (Bowker, 2002, p.78). A adequação dos bancos de dados para a pesquisa terminológica para a tradução ocorreu somente ao final dessa mesma década, com o aprimoramento dos recursos dos processadores de textos e com base nas primeiras propostas de reunião e organização de conjuntos bilíngues de trabalhos anteriores que pudessem oferecer meios de dinamizar a produção de novas traduções ao evitar o retrabalho com trechos de textos já traduzidos.

A aplicação dos recursos de pesquisa em conjuntos de textos de origem e traduções, materializada nos sistemas atualmente conhecidos como memórias de tradução, é tratada na próxima seção.

Sistemas de memórias de tradução como instrumental na recuperação da produção tradutória

A ideia de elaboração de um "arquivo de traduções" foi inicialmente proposta por Peter Arthern em um trabalho apresentado durante uma rodada de discussões, no final da década de 1970, sobre o uso de sistemas terminológicos computadorizados pelos serviços de tradução da então denominada Comissão Europeia. Naquela ocasião, sua principal argumentação foi a de que a maior parte dos textos produzidos pela Comissão seriam "altamente repetitivos", frequentemente citando passagens inteiras de documentos anteriormente traduzidos, o que gerava grande desperdício de tempo e recursos alocados para o departamento de serviços de tradução. A proposta de Arthern consistia no armazenamento de todos os textos de origem e suas traduções de forma que esses textos pudessem ser recobrados e inseridos em novas traduções. Conforme detalha,

> o pré-requisito para implementar minha proposta é que o sistema de processamento de texto tenha um depósito suficientemente grande para a memória central. Se isso estiver disponível, a proposta é simplesmente que a organização em questão deve armazenar na memória do sistema todos os textos produzidos, juntamente com suas traduções no número de línguas que for solicitado.
>
> Essa informação teria que estar armazenada de modo que qualquer trecho de texto em qualquer uma das línguas envolvidas pudesse ser localizado imediatamente... juntamente com sua tradução... (Arthern, 1979 apud Hutchins, 1998, p.293)

As ideias de Arthern ganhariam repercussão um ano mais tarde, em uma publicação de Martin Kay considerada seminal à discussão sobre o papel da automação na tradução, denominada *The proper place of men and machines in language translation* [O lugar adequado dos homens e das máquinas em tradução] (1980/1997).[11] Em seu trabalho, Kay (1997), pesquisador de tecnologias da empresa Xerox em Palo Alto (Califórnia), vê com descrença os rumos na época tomados pelas pesquisas em automação, que focavam no desenvolvimento de sistemas que buscassem eliminar a intervenção humana ou que relegassem ao tradutor por definitivo a função de

---

11 O referido artigo foi primeiramente publicado em forma de um relatório para a empresa norte-americana Xerox, em 1980 (Relatório de pesquisa CSL-80-11). Este livro baseia-se no artigo republicado no periódico *Machine Translation* em 1997.

pós-edição da produção automática. Kay advoga o desenvolvimento de um sistema que pudesse reunir trabalho mecânico e humano pela aplicação de recursos informatizados com a finalidade exclusiva de ampliar a produtividade humana, ao mesmo tempo que condena o investimento então feito em pesquisas que visassem a um "ideal distante". Sua argumentação seria a de que "a eficiência de um sistema de tradução, como a de qualquer outro, deve ser avaliada em todos os seus componentes: humanos e mecânicos" (Kay, 1997, p.11).

A principal diferença do sistema proposto por Kay em relação aos programas automáticos seria a de que, nele, o tradutor teria participação ativa *durante* o processo de tradução. Sua ideia partia das ferramentas encontradas em processadores de texto, como os recursos de busca e consulta a dicionários, que realizariam as funções selecionadas pelo tradutor no texto de origem e em sua tradução, dispostos e visualizados lado a lado na interface do sistema. O resultado seria uma produção assistida, porém, "sempre sob o controle rígido do tradutor, [...] para ajudar a aumentar sua produtividade e não para suplantá-lo" (ibidem, p.20).

Quanto ao desempenho, Kay afirma que um menor grau de automação do trabalho de tradução seria vantajoso para um melhor controle da produção, especialmente no que diz respeito aos recorrentes erros em programas automáticos. Conforme explica, tais erros seriam evitados, uma vez que o tradutor seria consultado em toda opção feita pelo programa, cabendo-lhe aceitar ou refutar as sugestões apresentadas. Para Kay (1997, p.22), munido desses recursos, "o tradutor é capaz de tomar uma decisão na primeira ocorrência de uma dificuldade, o que determinará como ele e a máquina a tratarão em todas as ocorrências subsequentes".

Em um artigo retomando o trabalho pioneiro de Kay, Melby (1997) afirma que, embora as possibilidades vislumbradas pela tradução automática agucem a imaginação humana, seus resultados seriam efetivamente úteis somente em situações muito particulares, envolvendo domínios específicos do conhecimento e requerendo demarcação do uso da língua dos textos originais. Melby

(1997, p.29) reconhece a aplicação da automação para a produção de traduções a serem usadas como "uma indicação do conteúdo do texto original" e lembra que, nesses casos, "quando uma tradução indicativa mostra que um documento é relevante, esse documento é, em geral, submetido à tradução humana e retraduzido a partir do original". A "tradução indicativa" automática seria, segundo Melby, uma introdução ao trabalho do tradutor. Já a aplicação da tradução automática para a produção de textos denominados de "alta-qualidade" exigiria o trabalho de pós-edição executado pelo tradutor e seria empregada em casos muito específicos, que atendessem a seguinte condição: "se houver um volume suficiente de texto a ser traduzido e se o mesmo puder ser controlado de maneira suficiente para adequar-se a uma linguagem bem compreensível, formal e controlável" (ibidem, p.30).

O trabalho de Melby situa-se em um momento bem avançado em relação à proposta de Kay, com alguns sistemas de memórias de tradução já em utilização, conforme ele mesmo atesta: "muitos dicionários on-line estão agora disponíveis, e vários produtos oferecem suporte à memória de tradução (uma implementação da observação de Kay de que o tradutor deveria ser capaz de examinar os fragmentos de textos semelhantes em outros documentos)" (ibidem, p.33).

Desde os primeiros projetos de memórias de tradução, os diversos tipos de sistemas comercializados constituem bancos de dados terminológicos e fraseológicos que, formados a partir de segmentos de texto original e pareados com suas respectivas traduções, são passíveis de reutilização em trabalhos posteriores. Os bancos de dados formados por segmentos do texto de origem e de sua respectiva tradução obedecem a uma organização baseada em percentuais de correspondência entre eles. O reaproveitamento de segmentos anteriormente traduzidos, ainda que possam ser inseridos em uma pré-tradução de um novo texto de maneira automática, depende, para sua eficaz aplicação, da constante intervenção do tradutor, embora, em muitos casos, essa interferência seja restringida pelo contratante dos serviços de tradução.

Consideradas ferramentas eletrônicas de auxílio ao tradutor, as memórias têm sido abordadas na literatura da área como eficientes recursos em trabalhos com textos extensos e com grande número de repetições terminológicas e fraseológicas, como na tradução de textos em meio eletrônico, manuais técnicos, atualizações de traduções de um mesmo material e, em especial, no trabalho de localização.

Segundo Esselink (2000), desde a década de 1990 a indústria da localização é o segmento que mais utiliza ferramentas de auxílio à tradução, em especial sistemas de memórias de tradução. Uma vez que a maior parte de projetos de localização exige atualizações constantes de materiais traduzidos, quase sempre em prazos escassos, as memórias constituem uma forma de reaproveitar trabalhos anteriores e possibilitar a normalização do trabalho, especialmente quando executado em grandes equipes de tradutores, uma situação bastante comum nessa indústria.

O formato dos textos produzidos e circulados em meio eletrônico não só possibilitou a introdução e a aplicação de sistemas de memórias de tradução, como também tem contribuído para o aumento do volume de textos a serem traduzidos. Segundo Biau Gil e Pym (2006, p.8), "em alguns setores, o uso de ferramentas de memórias de tradução acelerou o processo tradutório e diminuiu os custos, e isso levou a um aumento na demanda por serviços de tradução". O argumento de que a adoção das memórias tem promovido a expansão da procura por traduções repercute também no modo como o emprego da tradução automática é concebido na contemporaneidade, já não mais como uma ameaça à substituição do tradutor, mas um adjunto importante na realização de tarefas repetitivas, como traduções de trechos recorrentes de textos.

Em outro aspecto, se os sistemas de memória não ameaçam tomar o espaço do tradutor certamente têm demonstrado o poder de transformar a maneira como esse traduz. Como explicam Biau Gil e Pym (2006, p.9),

as memórias de tradução mudam a maneira como os tradutores trabalham. Se um banco de dados de uma memória é fornecido, espera-se que sejam seguidas a terminologia e a fraseologia dos pares segmentados incluídos nesse banco, em vez de se compor um texto com decisões terminológicas e estilo próprios.

A utilização dos recursos desses sistemas, por escolha do tradutor, critérios impostos pelo cliente ou ambas as situações, só é eficaz se forem respeitadas as opções terminológicas ou fraseológicas armazenadas na memória, delimitando consideravelmente o espaço para as escolhas pessoais do tradutor. A prescrição de normas de utilização das memórias de tradução firma-se na expectativa de que a subserviência do tradutor ao banco de dados, em geral fornecido quando a tradução é contratada, tornaria a tradução *sempre* mais bem elaborada e mais coesa. Essa ideia seria sustentada especialmente em casos de vários tradutores trabalhando em um mesmo projeto, ou quando existe um grande número de documentos a serem traduzidos em prazos limitados e com construções linguísticas repetitivas.

No artigo "Translation memories: insights and prospects", Heyn (1998) apresenta três argumentos que, associados, justificariam a adoção das memórias: o "argumento de quantidade", em que textos extensos são traduzidos mais rapidamente; o "argumento de qualidade", pelo qual o controle e a padronização terminológica e fraseológica resultam em uma tradução de melhor qualidade; e o "argumento de reusabilidade", baseado na possibilidade que os sistemas oferecem de reutilizar trabalhos anteriores de tradução (Heyn, 1998, p.124). De acordo com esses argumentos, os bancos de dados terminológicos dos sistemas de memórias atuariam como uma espécie de "referência autorizada" que, por armazenarem opções pareadas previamente revisadas e aprovadas, conduziriam à padronização das traduções.

A qualidade da tradução seria aprimorada no momento em que fraseologias revisadas e aprovadas fossem reutilizadas. Seria como utilizar uma tradução de uma referência autorizada, conduzindo, assim, à normalização das traduções. Embora autores como Heyn afirmem que as memórias não exigem estratégias de "língua controlada", como os programas automáticos de tradução – que empregam, em muitos casos, especialistas para elaboração de textos originais de autoria orientada para um devido fim – algumas das táticas usadas para o controle do uso da língua acabam sendo incorporadas pelo tradutor durante a elaboração da tradução com a finalidade de garantir o reaproveitamento de um trabalho em traduções futuras. Em última instância, a adoção de um modo marcadamente específico de tradução de uma língua pode intervir na qualidade do trabalho final.

Uma das estratégias adotadas concerne à expressividade do texto traduzido, particularmente mediante controle terminológico e fraseológico durante o trabalho de tradução, com vistas a aumentar o tamanho dos bancos de dados das memórias. Conforme será visto no próximo capítulo, o emprego eficiente da memória depende de um grande número de ocorrências armazenadas no banco de dados desse sistema e, desse modo, a preocupação em incrementar os segmentos nele pareados pode influenciar a própria composição de uma tradução, em um processo cíclico, sempre visando à futura reutilização da memória.

O reaproveitamento de traduções passadas como ferramenta para o início de um novo trabalho é o principal atributo dos sistemas de memórias, divulgado na literatura como uma forma de "alavancagem" de um novo trabalho de tradução, conforme alusão de Bowker (2002, p.93), que associa a vantagem dos sistemas de memórias de tradução à ideia de que a língua é "bastante repetitiva" e que frequentemente são utilizadas expressões iguais ou semelhantes para comunicar ideias parecidas.

A pressuposição de um grau considerável de repetições no texto de origem, bem como a recorrência de expressões e frases em trabalhos posteriores de uma mesma área constitui principal atrativo dos sistemas de memória. Segundo esse pensamento, os sistemas de memórias de tradução representariam um avanço na maneira como os tradutores aproveitam trabalhos anteriores que, no passado, eram muitas vezes armazenados em diversos arquivos e sem critérios definidos, o que dificultava sua recuperação e reutilização. Mesmo com os recursos de arquivos eletrônicos, a busca por traduções anteriores, conjugadas com seus respectivos originais, poderia ser desestimulante ao tradutor por tomar demasiado tempo, fazendo que esse optasse, na maioria das vezes, por elaborar uma tradução sem uma consulta aproveitável a trabalhos anteriores.

A certeza de reocorrência organizada de expressões "iguais" ou "repetidas" faz-se como grande promessa ao consequente aumento de desempenho que os sistemas de memórias de tradução alegam proporcionar. À primeira vista, a possibilidade de reaproveitamento de traduções anteriores pode ser bastante animadora, tanto para clientes como para os próprios tradutores. Por parte das empresas que necessitam de grandes volumes de tradução, a urgência de redução de custos exerce grande pressão para o emprego dos sistemas de memória, uma vez que se espera que a produção de uma tradução almeje também munir o banco de dados com mais segmentos pareados para aproveitamento posterior. Como documenta Murphy (2000), consultora técnica da Berlitz GlobalNET, empresa de consultoria para globalização de páginas da internet,

> muitas empresas hoje esperam que os fornecedores de tradução utilizem as ferramentas de memórias para reduzir os custos da tradução. Entretanto, esses mesmos clientes sentem-se com frequência decepcionados quando o nível de reutilização do texto (correspondências 100%) relatado pelo fornecedor de traduções é muito mais baixo que o esperado. Por uma análise, geralmente é constatado que a taxa de sucesso inferior está ligada à maneira como o texto de origem é escrito. Na verdade, o texto fonte é reescrito toda vez, portanto, não é uma surpresa que tenha que ser retraduzido toda vez. (Murphy, 2000, p.11)

Murphy chama a atenção para a importância de elaboração de construções padronizadas, a fim de evitar que uma ideia recorrente seja expressa de maneiras diferentes em um texto, como nos seguintes exemplos por ela oferecidos:

Center the steering wheel and lock in position.
[Centralize a direção e trave em posição.]
Center the steering wheel. Lock in position.
[Centralize a direção. Trave em posição.]
Center the steering wheel. Lock it in position.
[Centralize a direção. Trave-a em posição.]
Center the steering wheel. Lock the steering wheel in position.
[Centralize a direção. Trave a direção em posição.] (Murphy, 2000, p.13)

De maneira análoga às práticas limitadoras de uso da língua do texto de origem, observam-se algumas táticas usadas também para os sistemas de memória, em particular para alimentar o banco de dados e aumentar o índice de reaproveitamento das memórias de tradução. Nos trechos exemplificados por Murphy, nota-se que a ocorrência de frases curtas e a substituição do pronome *it* que age como objeto direto, pelo substantivo *steering wheel* que, ao ser repetido, elimina a ambiguidade referencial e possibilita a retomada do termo armazenado (ainda que não em uma equivalência total da frase). Observa-se, a partir desse exemplo, que a elaboração textual, em especial a coesão, pode ficar comprometida, muitas vezes, pelo esforço em aumentar o desempenho das memórias, por meio da tentativa de unificação da língua para posterior reciclagem de segmentos de traduções.

Em trabalhos de tradução executados com auxílio de memórias, duas práticas podem ser consideradas comuns para a compilação de bancos de dados de palavras e segmentos pareados a partir do texto original e da tradução, ambas com seus desdobramentos. A primeira ocorre quando o cliente fornece um banco de dados com termos, frases e expressões de traduções anteriores armazenados no decorrer de outros trabalhos, muitas vezes, realizados por diversos tradutores. A segunda sucede quando tradutores compartilham entre si suas memórias, em um esforço integrado e convencionado entre eles para incrementar seus bancos de dados e ganhar competitividade em relação à maciça quantidade de dados terminológicos acumulados pelas agências de tradução e localização.

O emprego do banco de dados, provindo de quem contrata uma tradução pode gerar conflitos porque, na maioria das vezes, os segmentos reaproveitados da memória do cliente não são remunerados, pois se acredita que a tarefa do tradutor restringe-se a localizar e transferir essas opções armazenadas e inseri-las na tradução. O não pagamento do tradutor por ocorrências recuperadas da memória de tradução é consequência do não reconhecimento da releitura que o trecho transferido pelo sistema exige do tradutor, seu trabalho de adequação do segmento recuperado ao novo contexto e a reconstrução que efetua do sentido geral da tradução. Já nos casos em que a recuperação é resultante do compartilhamento do banco de dados entre tradutores na expectativa de potenciais ganhos de produtividade, eles próprios podem estar falhando ao deixar de examinar a origem dos termos e segmentos e a adequação dos segmentos traduzidos, sendo difícil, em muitos casos, assegurar a qualidade e a fidedignidade do banco de dados (memória) assim provido.

Em dissertação de mestrado intitulada *Memórias de tradução*: auxílio ou empecilho?, Rieche (2004) analisa os principais fatores que ocasionam problemas de qualidade nos sistemas de memórias com efeitos na qualidade do texto final traduzido. Conforme afirma, se um banco de dados oferecido ao tradutor apresentar problemas de inconsistências ou erros, a produtividade tradutória cairá, uma vez que será necessário investir tempo para corrigir tais inadequações. Especificamente na indústria de localização Rieche (2004, p.13-14) afirma que a qualidade acaba, muitas vezes, sendo colocada em segundo plano, "em nome de maior velocidade e consistência".

Ao lembrar que, na indústria de localização, anteriormente ao advento dos sistemas de memórias de tradução, "a cada nova versão ou atualização de um produto, por exemplo, era necessário traduzir desde o início todo o material", Rieche (2004, p.13) reafirma o grande atrativo dos anúncios de vendas de sistemas de memória de tradução. Com efeito, ganhos de produtividade e promessas de aumento de competitividade em preço proporcionado pelo possível reaproveitamento de traduções anteriores, fariam das memórias ferramentas cada vez mais utilizadas por tradutores que desejam manter-se preparados para as exigências desse mercado.

As principais vantagens do emprego de sistemas de memórias de tradução seriam, conforme enumera Rieche, o aumento da coerência na tradução, maior controle e padronização da terminologia empregada, o aumento da velocidade de trabalho do tradutor e a consequente disponibidade para dedicação a outros trabalhos, e a criação de um banco de dados formados com base nas traduções realizadas. Por outro lado, procurando não desmerecer os anunciados ganhos de produtividade que as memórias proporcionam, mas buscando alertar os tradutores para possíveis problemas que essas ferramentas podem ocasionar, Rieche aponta como principais desvantagens do emprego de memórias a indução ao erro, as limitações impostas pela segmentação, a falta de visão do texto final traduzido, o investimento de tempo para aprender novas ferramentas e de recursos financeiros para adquiri-las e os possíveis problemas que formatação que podem surgir durante o trabalho de tradução.

De fato, se somarmos o tempo que um tradutor leva para aprender e dominar a utilização de um programa de memória de tradução ao tempo que, na maioria das vezes, terá que empenhar para realizar a revisão dos segmentos aproveitados, veremos que nem sempre é possível contar de imediato com uma diminuição de tarefas e o consequente aproveitamento econômico de tempo pelo tradutor.

Apesar de toda a divulgação sobre as vantagens da adoção dos sistemas de memória, não se pode pressupor que as memórias *necessariamente* aumentariam a eficiência do trabalho do tradutor, uma vez que esses sistemas representam nada mais que uma ferramenta de produtividade. A eficiência dos sistemas de memória depende muito mais de seu usuário tradutor do que dos recursos de que dispõe a ferramenta. A especificidade dos textos com que o tradutor lida e a maneira como desenvolve suas traduções, sabendo lidar com as vantagens e as limitações dos recursos desses sistemas, têm influência direta na possível economia de tempo pela recuperação de opções já traduzidas e armazenadas na memória.

O eficiente aproveitamento das memórias não se limita a um tipo específico de texto, mas vincula-se às construções frasais do original e à terminologia nele adotada. A similaridade e a recorrência das construções empregadas em um texto são dois exemplos de características que determinam o bom desempenho das memórias durante a execução de um projeto.

Já em grandes projetos desenvolvidos nessa indústria, nos quais um considerável número de tradutores é envolvido, as memórias são usadas de maneira eficiente no compartilhamento simultâneo de glossários por tradutores, beneficiando, sobretudo, aqueles menos experientes, possibilitando-lhes compartilhar os resultados de pesquisas terminológicas cujos resultados são armazenados no banco de dados geralmente fornecido no início do trabalho. Por outro lado, da mesma forma que esses sistemas auxiliam na padronização terminológica, eles podem igualmente agir como propagadores de inadequações, uma força contrária à produtividade tradutória esperada.

Das diversas ferramentas eletrônicas de pesquisa (glossários, *corpora* e dicionários *on-line*) e edição de textos (corretores ortográficos e gramaticais) empregadas para o trabalho de tradução na contemporaneidade, especificamente, os sistemas de memórias de tradução têm sido apresentados como instrumentos essenciais para melhorar o desempenho do tradutor, em particular quando atua em áreas especializadas que requerem, sobretudo, padronização terminológica e fraseológica e rapidez de execução dos trabalhos. Entretanto, parece haver uma superestimação da capacidade desses recursos de eliminar as dificuldades envolvidas na tradução de diferentes línguas ao oferecerem soluções prontas e recuperáveis para acelerar a produção da tradução.

O uso de sistemas de memórias pode afetar a qualidade da tradução de duas maneiras. A ênfase na reutilização de segmentos de traduções anteriores acaba por tratar as opções armazenadas de tradução como fixas e, ao mesmo tempo, descartar possíveis mudanças ou atualizações terminológicas que venham ser necessárias ao longo do tempo. Além disso, pode-se abrir espaço a uma tendência em elaborar textos traduzidos cada vez mais rígidos, buscando manter a correspondência estrutural com o texto de origem a fim de aumentar as chances de reaproveitamento de pares correspondentes em traduções futuras. Essas são duas das implicações do emprego das memórias para a prática de tradução e que são examinadas no Capítulo 3.

Antes dessa análise, porém, faz-se necessária uma introdução aos principais recursos disponíveis em um sistema de memórias. Para isso, foram escolhidos três entre os sistemas mais utilizados atualmente no mercado: o *Wordfast*, o *Transit* e o *Trados*. O estudo comparativo desses três sistemas apresentado no próximo capítulo examina as propostas e as particularidades de cada ferramenta, abordando suas aplicações específicas, assim como seus benefícios e limitações.

2

A APLICAÇÃO DE SISTEMAS DE MEMÓRIA DE TRADUÇÃO COMO FERRAMENTAS DE PRODUTIVIDADE PARA O TRADUTOR

> *"Se perguntarmos quais, são, afinal, os valores, os motivos, os fins e os comportamentos éticos, responderemos dizendo que são aqueles nos quais buscamos eliminar a violência em relação ao outro, ao mesmo tempo que procuramos manter a fidelidade a nós mesmos, a coerência de nossa vida e a inteireza de nosso caráter. Ético, como nos ensina o poeta, é não desaprender 'a linguagem com que os homens se comunicam' e é deixar 'o coração crescer' para 'sermos mais nós mesmos quanto mais formos capazes de reciprocidade e solidariedade'."*
>
> (Chauí, 2003)

A crescente demanda por serviços de tradução prestados conforme o ritmo das negociações no mercado globalizado propulsiona tradutores e agências de tradução a adotar recursos e ferramentas que os mantenham competitivos e aptos para atender exigências por rapidez na conclusão dos serviços e uniformidade terminológica da produção final.

Pérez (2001) relaciona as transformações pelas quais passa o mercado contemporâneo de traduções a uma espécie de "revolução industrial", em que se verifica um movimento progressivo em direção à automação das atividades do tradutor, visando especialmente a redução de custos e prazos e a divisão do trabalho em uma equipe de tradutores atuantes em diferentes pontos do globo e "conectados" eletronicamente pela internet. A automação parcial do trabalho do tradutor tem se realizado especialmente com o advento e a aplicação das memórias de tradução, sistemas que, idealmente, incrementam a eficiência tradutória em textos longos e repetitivos, ao mesmo tempo que manteriam a coerência, no sentido de padronização das escolhas terminológicas, entre as diversas traduções produzidas em equipe.

Entre os vários recursos disponibilizados estão aqueles que proporcionam a busca, a comparação e o reaproveitamento, ainda que parcial, de traduções anteriores, um auxílio para o tradutor, que supostamente se torna capaz de produzir mais em menor tempo, como para o contratante de serviços de tradução, que também se mune desses recursos como uma forma de controlar a produção tradutória e restringir a remuneração dessa a ocorrências terminológicas e fraseológicas inéditas.

Neste capítulo, examino os recursos pressupostos como dinamizadores do trabalho do tradutor pelas funções de segmentação do texto de origem, alinhamento de traduções e pelo processo de correspondência textual disponíveis em três sistemas de memória: o *Wordfast*, o *Trados* e o *Transit*. Em um primeiro momento, cada recurso é explicado separadamente, para, em seguida, todos serem demonstrados em funcionamento nos sistemas mencionados. Essa organização da análise visa proporcionar um olhar sobre as particularidades de cada ferramenta, bem como as situações em que cada uma é utilizada. O objetivo é analisar as aplicações específicas de cada recurso, assim como seus benefícios e limitações na elaboração de uma tradução com o auxílio dos sistemas de memórias.

Uma proposta de análise dos principais recursos dos sistemas de memória de tradução *Wordfast*, *Trados* e *Transit*

As memórias de tradução são consideradas importantes recursos de pesquisa e informação para o tradutor por constituírem, primordialmente, um sistema de arquivos reunindo trabalhos anteriores de tradução que, organizados com seus textos de origem, possibilitam a consulta terminológica e fraseológica e, em muitos casos, a recuperação de opções anteriores de tradução salvas e mantidas em bancos de dados.

Diferentemente dos programas de tradução automática, que se orientam por estratégias predefinidas de tradução que incluem dicionários bilíngues, algoritmos com regras gramaticais e, mais recentemente, *corpora* eletrônicos, as memórias de tradução não trazem conjuntos predefinidos de pares bilíngues em seus bancos de dados. Toda memória de tradução é construída passo a passo desde o início e todas as informações terminológicas, inclusive sobre as línguas com as quais se trabalhará com a ferramenta, necessitam ser fornecidas ao sistema a partir do momento que o tradutor começa a empregá-lo. Em outras palavras, é basicamente o tradutor--usuário que "fabrica" a memória com que trabalhará em traduções futuras.

Há basicamente três maneiras de incorporar informações aos bancos de dados das memórias, procedimento essencial para ativar as funções de recuperação terminológica da ferramenta: a reunião e o armazenamento de termos ou trechos de texto durante o trabalho de tradução, a junção de termos de bancos de dados de outros tradutores, e a adição de termos ao banco de dados pelo procedimento de alinhamento de textos. O trabalho de construção de banco de dados sempre exige que os textos de origem e as traduções estejam em formato digitalizado para que possam ser processados pelo sistema de memórias.

O primeiro modo de alimentar o banco de dados da memória se realiza à medida que o tradutor elabora as traduções utilizando o sistema de memória e que seu trabalho é salvo em conjunto com o texto de origem. Os sistemas apresentam ao tradutor, na mesma tela, trechos do texto de origem e espaços ou campos de texto para a inclusão da tradução. Essa organização textual não interfere na diagramação do texto de origem, que é preservada ou reconstituída ao término do trabalho de tradução, dependendo da ferramenta utilizada. Conforme o tradutor insere a tradução nos espaços indicados pelo sistema, os trechos bilíngues que se formam são transferidos automaticamente por comandos específicos de cada sistema para o banco de dados e, em pares, passam a ser denominados "unidades de tradução" (cuja sigla em inglês é TU, em referência a *Translation Units*). No momento em que um termo ou trecho do texto de origem é traduzido e armazenado, ele passa a fazer parte da memória de tradução. Na ocasião em que ocorrer no texto novamente – mesmo se na próxima frase a ser traduzida –, a opção de tradução armazenada é automaticamente sugerida ao tradutor, dependendo do grau de semelhança de recuperação ajustado no sistema, conforme garantem os sistemas de memórias analisados.

A grande desvantagem do método interativo de construção das memórias estaria no fato de ser necessário um tempo considerável para que o tradutor consiga compilar uma quantidade significativa de unidades de tradução e, assim, começar a usufruir dos recursos de seu sistema de memória. Afinal, como explicitam os manuais dos sistemas estudados, quanto maior o número de unidades de tradução armazenadas no banco de dados, maiores as chances de reocorrência de uma ou mais delas em trabalhos posteriores. Por outro lado, quando o próprio tradutor controla o armazenamento das unidades de tradução em seu sistema de memória, o nível de adequação das informações armazenadas é maior, com menores chances de equívocos no pareamento das unidades de tradução.

A segunda forma de construir um banco de dados para trabalho com as memórias de tradução realiza-se pela importação do banco de dados de outros tradutores. Muitos dos sistemas de memórias atualmente utilizados podem funcionar em rede, sendo seus bancos de dados compartilhados por vários tradutores. Esse procedimento oferece a vantagem de acelerar a compilação de informações provenientes de fontes diversas. Todavia, o controle de qualidade pode ficar comprometido, especialmente se não existirem regras para inserção de novas unidades de tradução nos bancos de dados e se todos os usuários tiverem permissão de acessar e modificar as informações armazenadas a qualquer momento.

A terceira maneira de formar o banco de dados da memória é pelo aproveitamento de trabalhos de tradução anteriormente realizados sem o auxílio dessas ferramentas. O trabalho de digitalização e alinhamento de textos de origem e suas respectivas traduções exige tempo, porém, dependendo do grau de semelhança de um novo trabalho com esses textos, o investimento de esforços pode ser útil não só para reaproveitamento no trabalho atual, mas também para alimentar o banco de dados para posterior utilização em pesquisas terminológicas e fraseológicas. Textos de origem e suas traduções, sempre digitalizados, podem ser alinhados pelos recursos próprios de cada sistema e, então, armazenados no banco de dados, podendo vir a melhorar o desempenho da ferramenta ao aumentar as chances de localização e reutilização desses conteúdos. O processo de alinhamento, que será explicado em detalhes mais adiante, baseia-se em estratégias específicas e definidas pelos sistemas empregados como os marcadores (*tags*) que indicam os pontos de início e fim de termos ou trechos dos textos de origem e de tradução. Os pares de trechos de texto de origem e de suas traduções são ordenados de forma a compor uma lista ou conjunto bilíngue alinhado de textos de origem e suas traduções.

Os bancos de dados dos sistemas de memórias de tradução constituem enormes glossários terminológicos e fraseológicos, que podem ser reunidos em um único arquivo ou divididos em vários arquivos, classificados segundo a área de trabalho, o cliente do trabalho, e outros critérios definidos pelo tradutor-usuário. A possibilidade de formar um banco de dados a partir do alinhamento de textos de origem e suas traduções representa um "segundo estágio" na evolução dos recursos de pesquisa empregados pelo tradutor, segundo constatação de Cabré Castellví (2006). A organização dos bancos terminológicos a partir dos textos de que fazem parte representaria um avanço em relação aos primeiros recursos de registro de dados, em que itens lexicais eram agrupados de modo descontextualizado, raras vezes acompanhando um exemplo de utilização. Já os bancos de dados formados do alinhamento de textos de origem e suas traduções comporiam um material rico em referências, uma vez que:

os bancos de textos apresentam os dados em contextos múltiplos, não-fragmentados e autênticos – em tantos contextos quanto forem as ocorrências de uma dada unidade lexical nos textos. Com o auxílio de mecanismos de busca, os tradutores podem acessar diretamente todas as ocorrências de uma unidade nos textos, o que significa que conseguem visualizar usos documentados dessa unidade. (Cabré Castellví, 2006, p.94)

A compilação de glossários, na maioria das vezes resultante de um trabalho de tradução, sempre foi uma atividade bastante comum na rotina de trabalho de grande parte dos tradutores. O diferencial dos recursos para formação de bancos de dados encontrados nas memórias de tradução está na possibilidade de contextualização dos termos reunidos e alinhados em pares com suas traduções. Anteriormente ao desenvolvimento dos sistemas de memórias de tradução, as consultas aos glossários elaborados eram dificultadas pelas limitações na sistematização de arquivamento das informações terminológicas reunidas que poderiam ser úteis em trabalhos posteriores. A busca em fontes de pesquisa impressas, como glossários, textos e notas manuscritas, também apresenta restrições, especialmente por exigir do tradutor um tempo com o qual ele parece já não poder mais contar, e, por isso, acaba sendo uma alternativa postergada, ou apenas uma complementação à pesquisa eletrônica. Mesmo quando trabalhos de tradução são elaborados e salvos em arquivos eletrônicos de texto (sem qualquer ferramenta própria para organização terminológica), a pesquisa de uma informação terminológica nesses arquivos pode demandar tempo por exigir uma série de ações como, por exemplo:

- Localizar o arquivo adequado do texto de origem (o que com frequência requer que seja decifrado o nome do arquivo em que ele foi salvo).
- Abrir o arquivo do texto de origem e utilizar o recurso de busca do processador de textos para localizar o segmento apropriado.
- Abrir o arquivo do texto alvo (a tradução).

- Rolar para baixo o arquivo alvo para localizar o segmento alvo.
- Começar a ler para localizar o equivalente alvo apropriado.
- Copiar e colar o segmento alvo desejado na nova tradução.
- Editar o segmento conforme o caso. (Bowker, 2002, p.93-4)

As várias etapas elencadas para localizar, recuperar e reaproveitar trabalhos anteriores podem requerer mais tempo do que a realização de uma nova tradução de um texto que contenha trechos já traduzidos. Se considerarmos que um tradutor lida em seu cotidiano com textos de diversas áreas e dos mais diferentes assuntos, a identificação dos arquivos que compreendam os textos de origem e a tradução com termos ou expressões recorrentes em um novo trabalho para o qual se realiza a pesquisa pode se tornar ainda mais difícil.

Por outro lado, as memórias de tradução analisadas são capazes de realizar automaticamente em seus bancos de dados a pesquisa por termos ou trechos de texto recorrentes em novos trabalhos de tradução. De modo geral, os sistemas *Wordfast*, *Trados* e *Transit* organizam os dados neles armazenados de forma a reaverem, com assegurada eficácia e rapidez, trechos já traduzidos que, reapresentados ao tradutor, permitem-lhe decidir reaproveitá-los ou desconsiderá-los para uma nova tradução.

Os principais recursos disponibilizados em cada um dos sistemas são tratados por meio da análise dos manuais do usuário do *Wordfast* (na versão 5), o *Trados* (na versão 6.5) e o *Transit* (na versão XV). A análise também se baseou em minha experiência como usuária desses sistemas.

O estudo apresentado neste livro não visa avaliar o funcionamento de cada um desses sistemas, e nem propor alguma forma de classificação com o intuito de eleger aquele que seria mais adequado para o trabalho de tradução. A escolha de um sistema sempre dependerá do tipo de trabalho e, muitas vezes, de preferências pessoais do tradutor.

O foco principal do exame proposto é verificar como os recursos de segmentação textual [*text segmentation*], alinhamento textual [*text alignment*] e correspondência [*matching*] são apresentados aos usuários de cada um dos sistemas de memória, para que sejam reunidos subsídios para análise das propostas e particularidades de cada ferramenta, bem como as aplicações específicas de cada uma.

Segmentação textual

A funcionalidade de um sistema de memória de tradução depende em grande parte do modo como os textos de origem são segmentados e armazenados em conjunto com suas respectivas traduções para posterior recuperação e reaproveitamento. Para que possa ser processado por um sistema de memória, todo texto é dividido em segmentos, cada um desses considerado a "menor unidade traduzível" pela ferramenta (Esselink, 2000).

Sinais de pontuação, como ponto final, ponto e vírgula, parênteses, colchetes, pontos de interrogação e exclamação, servem para sinalizar ao sistema o início e o fim de um segmento. A constituição de um segmento não é rígida e pode ser formada por títulos, itens de uma lista, células de uma tabela e, com mais frequência, por frases.[1] Ao contrário da noção linguística de frase como "uma unidade de comunicação linguística, caracterizada como tal, do ponto de vista comunicativo – por ter um propósito definido" (Câmara Jr., 1977, p.122), a delimitação automática de uma frase pelas memórias obedece exclusivamente aos sinais de pontuação de que cada sistema dispõe em seu programa de segmentação.

Observa-se, pela própria definição de segmento como "menor unidade traduzível", como a noção de segmentação é problemáti-

---

1 Utilizo o termo "frase" como tradução de *sentence* em inglês, conforme consta no *Dicionário de termos linguísticos*, organizado por Maria Helena Mira Mateus e Maria Francisca Xavier (1992, v.1) e produzido pelo Instituto de Linguística Teórica e Computacional de Lisboa, Portugal. Esse termo também é adotado em grande parte da literatura publicada em português do Brasil sobre as memórias de tradução, com exceção de Alves (2004), que emprega o termo "sentença".

ca para os sistemas. Isso porque o usuário-tradutor determina os sinais que o sistema deverá considerar para realizar a segmentação, em uma relação de exclusão e não de complementação. Assim, se o tradutor define que o sistema deva segmentar unidades a partir do sinal de ponto final, o sistema somente considerará esse sinal para a divisão dos trechos e para a comparação com o conteúdo da memória de tradução.

A partir do sinal de pontuação predefinido, o sistema de memória consegue destacar um determinado segmento do texto de origem e, se houver ocorrência coincidente no banco de dados, disponibilizar as possíveis correspondências ao tradutor, que pode optar por utilizá-las ou não. O tradutor pode modificar as regras de segmentação de início e fim de trechos, seja para forçar o sistema a segmentar trechos mais longos de texto, como parágrafos inteiros, seja para evitar que siglas e abreviaturas sejam segmentadas por conterem marcas de ponto final. Essa ação ocorre por comandos específicos de cada sistema durante a realização da tradução, não podendo ser configurados de antemão.

A segmentação em frases é a forma mais utilizada de preparar um texto para ser processado pela maioria dos sistemas de memória. Entretanto, existem propostas de sistemas que consideram o parágrafo como unidade para segmentação. Como explica Esselink (2000, p.363),

> alguns editores passaram da segmentação baseada em frases para segmentação baseada em parágrafos. A segmentação de frases resultará em um maior número de correspondências totais (ou exatas), mas elas devem ser sempre verificadas porque podem requerer mudanças por razões contextuais, isto é, a frase anterior ou a seguinte. Quando se utiliza a segmentação baseada em parágrafos, o número de correspondências diminui, mas as correspondências totais de parágrafos geralmente não exigem revisão ou correção.

Esselink expõe a prioridade dos programas de segmentação como a de gerar correspondências bilíngues que, armazenadas na memória, teriam maiores chances de reocorrerem em outros textos e, nesses casos, serem retomadas e aproveitadas em outros trabalhos. Assim concebida, a memória de tradução passa a ser um banco de dados de pares de segmentos de texto de origem e de destino.

Juntamente com os segmentos de origem e de destino, os sistemas de memórias de tradução armazenam informações específicas, conhecidas como atributos. Os atributos podem incluir dados como a data de criação de uma unidade de tradução, o nome do usuário que a criou, o cliente ou o projeto de tradução para o qual a memória foi formada e outros detalhes cuja função seria auxiliar a manutenção do banco de dados e a busca de uma memória específica por meio dos programas de filtros com os quais todo sistema conta.

Como já mencionado, a memória pode ser construída pelo recurso de segmentação no momento em que o tradutor estiver utilizando a ferramenta para traduzir um arquivo. Sempre que termina a tradução de um segmento do texto de origem, o tradutor automaticamente salva na memória a unidade de tradução formada com o mesmo comando que aciona para passar para o próximo segmento. Os segmentos já traduzidos ficam "protegidos" por marcadores (tags) que indicam o início e o fim de cada período e contêm informações sobre a formatação do trecho demarcado. Todos os sistemas de memória recomendam que esses marcadores nunca sejam modificados ou editados para que não haja incompatibilidade entre o segmento original e aquele traduzido ou, como será abordado mais adiante, durante o processo de exportação de arquivos. Em agências de tradução, a delimitação dos segmentos de um texto é realizada por programas especiais de preparo de documentos. Nesses casos, os marcadores são inseridos para delimitar os segmentos de um texto antes do envio para os tradutores designados, que são, em geral, orientados para seguirem as demarcações fixadas. A seguir tem-se um exemplo de demarcação, pelo sistema *Wordfast*, de um segmento do texto de origem e o segmento recuperado da memória, que sinaliza um grau de correspondência de 80%, conforme indica a marcação "80" entre os segmentos:

{0>Se, por um lado, a agricultura ainda mostra reflexos das dificuldades que caracterizam a atividade nos últimos anos, o setor sucroalcooleiro mostra-se em plena expansão, mesmo considerando o atual momento ruim de preços do açúcar, que influencia negativamente os preços do álcool.<}80{>If, on the one hand, agriculture still shows signs of the difficulties that have characterized the activity in the past years, the sugar and ethanol sector is in full expansion, even considering the current moment of low sugar prices.<0}[2]

Em geral, quando um texto é enviado ao tradutor já segmentado e, muitas vezes, parcialmente traduzido a partir da memória do cliente ou da agência que contrata os serviços de tradução, o tradutor é orientado para que mantenha a estrutura demarcada do texto e trabalhe somente na edição e revisão do segmento parcialmente traduzido. Nesses casos, a remuneração para segmentos parcialmente traduzidos é mais baixa, uma vez que se considera que não haveria modificações consideráveis a serem feitas. Embora o sistema aponte o grau de correspondência entre os segmentos, ele não sinaliza quais as palavras ou os trechos faltantes ou diferentes, cabendo ao tradutor comparar e analisar as modificações a serem feitas. No exemplo anterior, o tradutor acrescentaria a tradução do trecho do texto de origem "que influenciaria negativamente os preços do álcool", em inglês, "which negatively influences ethanol prices". Nota-se que esse trabalho de identificação das diferenças pode tomar um tempo considerável do tradutor, que necessita ler e comparar os segmentos antes de realizar a tradução que falta. Esse trabalho de análise textual não é remunerado, uma vez que se considera que o tradutor teria somente que completar, em casos de omissão, ou "substituir" trechos diferentes.

Além de organizar as unidades de tradução a serem armazenados no banco de dados da memória, o recurso da segmentação exibe

---

2 O sistema *Wordfast* tem por *default* a marcação em cor magenta. Utilizou-se nesse exemplo a cor cinza para visualização.

todo o texto a ser traduzido, evitando os saltos que às vezes ocorrem em trabalhos de tradução sem o auxílio dessas ferramentas. Outra maneira de constituir uma memória de tradução é pelo recurso de alinhamento de textos.

Alinhamento textual

O alinhamento é uma operação automática realizada pelos sistemas de memórias que compara um texto de origem e sua tradução para buscar, nos dois textos, os segmentos considerados correspondentes e os dispõe lado a lado como unidades de tradução. Esse é um procedimento a que os tradutores recorrem para aproveitarem textos anteriormente traduzidos sem o auxílio dos sistemas de memória e seus respectivos textos de origem. Todos os sistemas analisados apresentam o recurso de alinhamento, uma tarefa que, segundo Nogueira e Nogueira (2004, p.33), "só vale a pena empreender em casos de atualização de textos para os quais já se tem uma boa tradução". Um dos casos que os autores consideram válidos para a realização do alinhamento envolve a atualização de manuais técnicos. Conforme explicam, no lançamento de uma nova versão de um produto, os textos dos manuais em geral apresentam mais acréscimos ao seu extenso conteúdo do que modificações consideráveis na versão anterior, um fato que favorece o reaproveitamento da tradução anterior com o uso do recurso de alinhamento.

A primeira condição para que dois textos, um de origem e sua respectiva tradução, sejam alinhados é que ambos estejam em formato digital. Os trechos segmentados desses textos são exibidos lado a lado ao tradutor. A segmentação textual é um processo bastante complexo e, sendo automático, podem ocorrer erros no pareamento, uma vez que o sistema sempre busca a correspondência biunívoca entre os segmentos. Caberá, então, ao tradutor realizar a revisão dos segmentos alinhados, adequando seu pareamento de modo manual com os recursos de que cada sistema dispõe.

O tempo necessário para a realização do alinhamento e a eficácia do processo dependem diretamente da semelhança entre as estruturas do texto de origem e da tradução. Quanto mais o texto de origem e sua tradução se aproximarem estruturalmente, melhores serão os resultados. O procedimento de alinhamento automático não é capaz de lidar com casos em que houve inversão das frases ou parágrafos no texto traduzido ou outras modificações na estrutura da tradução.

Embora o alinhamento textual constitua uma alternativa para tradutores servirem-se de trabalhos anteriores, o processo apresenta limitações que podem dificultar o trabalho. Uma delas consiste na marcação exata de início e fim de frase tanto no texto de origem como em sua tradução. Outra está na necessidade de haver correspondência biunívoca entre as frases, o que restringe a liberdade da composição da tradução.

No que diz respeito à delimitação de um segmento por sinais de pontuação, a marcação por ponto final pode ser limitante e, até mesmo, simplista quando se consideram construções, como títulos e subtítulos, que encerram um período sem, contudo, portar as marcações de finalização de segmentos predefinidas pelo sistema, como o ponto final, ponto e vírgula e os dois pontos. Ao comparar os diferentes sistemas de escrita da língua inglesa e do japonês ou chinês, por exemplo, Somers (2003, p.35) lembra que não somente seus sistemas de pontuação são distintos, como a própria noção do que constituiria uma "frase".

Embora a maioria dos programas de alinhamento se oriente pelas mesmas marcações definidas para o processo de segmentação, ou seja, sinais de pontuação específicos (ponto final, ponto e vírgula, dois pontos), é possível aplicar outras técnicas para o alinhamento, como o reconhecimento de pares de palavras cognatas, números, siglas, marcas de formatação e outras formas de identificação que permitem ao programa de alinhamento comparar os dois textos e neles buscar características correspondentes. Esses recursos podem ser úteis em situações em que o tradutor realizou alguma inversão na tradução de uma frase do texto de origem ou quando deixou de traduzir algum trecho do original ou fez algum acréscimo à tradução por motivos específicos.

Para lidar com situações particulares, porém frequentes, como essas, Bowker (2002) e Somers (2003) recomendam o alinhamento manual, especialmente se o trabalho envolvido para organizar os pares bilíngues resultar em ganhos significativos ao tradutor, seja de tempo, seja de dados para referência e reutilização em trabalhos posteriores; afinal, como argumenta Bowker (2002, p.111),

> o benefício principal de uma memória de tradução é permitir aos tradutores reutilizar traduções anteriores; entretanto, para que possam fazer isso, a memória deve realmente conter traduções anteriores, e quanto maior o volume de textos na memória, maiores as chances de que segmentos idênticos ou semelhantes serão encontrados para reuso em novas traduções. O alinhamento pós-tradução permite aos tradutores "avolumar" suas memórias e, assim, aumentar as probabilidades de conseguirem uma correspondência.

A fim de garantir que as unidades armazenadas na memória ofereceram chances de reaproveitamento, o trabalho de revisão do alinhamento, tanto automático como manual, é indispensável mesmo em situações em que texto de origem e tradução apresentem estruturas consideradas bastante semelhantes. Uma vez que a maior parte dos sistemas baseia-se também na contagem de caracteres de cada frase ou período demarcado por sinais de pontuação, eles pressupõem, quase sempre, que "frases longas dão origem a traduções longas, e frases curtas originam traduções curtas" (Somers, 2003, p.37).

Com base em minha experiência como tradutora, essa característica dos sistemas pode gerar conflitos em situações de tradução em que se têm línguas consideradas mais prolíferas, como o português do Brasil, e aquelas geralmente mais sintéticas, como o inglês. O alinhamento manual pode tomar mais tempo para ser realizado e dependerá muito do grau de semelhança de organização frasal entre o texto de origem e sua tradução.

A Figura 1 apresenta como as unidades de tradução são armazenadas no banco de dados de um sistema de memória após o processo de alinhamento. As unidades de tradução encontram-se pareadas em colunas com os segmentos de origem e outra para aqueles de destino. Quando o tradutor seleciona uma unidade de tradução, ou

o sistema a identifica como semelhante a um segmento de outro trabalho, a unidade é distinguida em campos demarcados em azul, para
o segmento de origem, e em verde para a tradução correspondente.

Figura 1 – Unidades de tradução (português/inglês) alinhadas na memória de
tradução do sistema *Wordfast*. Conforme informa a barra superior do sistema,
essa memória contém 4.023 unidades de tradução.

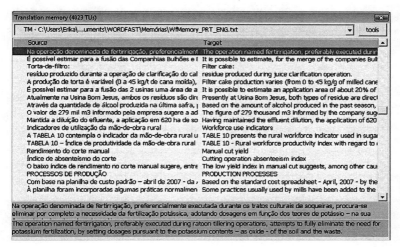

Como mencionado, em alinhamentos de segmentos marcados
por sinais de pontuação, a busca em geral restringe-se às demarcações que o sistema considera como início e fim de frase, uma vez
que elas são consideradas as unidades de tradução.

Há também outra abordagem para alinhamento de textos, a qual
se baseia no pareamento de textos de origem e suas traduções sem
qualquer segmentação. Esses pares bilíngues de textos, conhecidos
como bitextos, ampliam as possibilidades de pesquisas, uma vez
que permitem a análise de diferentes extensões de trechos de texto.

O resultado da busca dos segmentos alinhados na memória depende da maneira como o sistema analisa as correspondências entre
as unidades de tradução armazenadas e os novos segmentos que
compõem um novo trabalho de tradução. Os diferentes graus de
correspondência entre segmentos pareados serão abordados no
item a seguir.

Correspondência textual

A capacidade de um sistema de memória de tradução em comparar um segmento a ser traduzido com todo o repertório terminológico armazenado em seu banco de dados depende do modo como essa ferramenta realiza a operação de correspondência [*matching*]. São várias as combinações de correspondências que um sistema pode fazer, sendo as mais comuns conhecidas como correspondência exata ou total [*exact or full match*], correspondência parcial [*fuzzy match*] e correspondência terminológica [*term match*].

Os casos geralmente identificados pelos sistemas como correspondência exata seriam aqueles em que o segmento do texto de origem é considerado idêntico, tanto linguisticamente como em termos de formatação, a um segmento armazenado na memória junto com a sua tradução. Quando é localizada na memória uma correspondência exata ao segmento de origem a ser traduzido, o sistema normalmente insere a tradução do segmento identificado diretamente no campo em que uma nova tradução será introduzida, dispensando o tradutor do trabalho de digitação. O tradutor é alertado sobre o grau de correspondência entre o segmento de origem e aquele inserido por combinações de cores específicas e indicações de porcentagem do sistema de memória que estiver utilizando. Se não estiver de acordo com a sugestão a ele apresentada, o tradutor pode, nesse mesmo momento, descartá-la e inserir no mesmo campo outra tradução para o segmento. O exemplo a seguir apresenta a ocorrência de correspondência exata recuperada pelo sistema de memória *Wordfast* e inserido automaticamente no campo da tradução. Logo acima da caixa de inserção da tradução, tem-se a informação de que se trata de uma correspondência considerada "exata", ou seja, 100%:

Eles apresentam deficiência de fósforo e potássio.
They present deficiency in phosphorus and potassium.

Mesmo que o sistema indique a recuperação de um segmento 100% correspondente, alterações podem ser necessárias no novo texto traduzido que geralmente faz parte de um novo contexto, que, por sua vez, tece novas relações entre as palavras que dele fazem parte. Nesse caso analisado, há a questão do gênero gramatical, que não é identificado pelo sistema, cabendo ao tradutor adequar a tradução do pronome pessoal *they* em inglês por eles ou elas em português do Brasil de acordo com o contexto.

Para Bowker (2002, p.97), todo o texto deve ser examinado pelo tradutor ao aceitar a sugestão oferecida pelo sistema, principalmente porque

> embora um segmento possa ser idêntico, os tradutores preocupam-se com a tradução de textos completos em vez de segmentos isolados, então é importante ler a tradução proposta em seu novo contexto para ter certeza de que está estilisticamente adequada e semanticamente correta.

A autora chama a atenção para o fato de o sistema não ter condições de garantir a conformidade de um segmento por ele identificado como exato e recuperado da memória com o contexto do qual passa a fazer parte no novo trabalho de tradução. Um exemplo bastante frequente estaria na tradução de homônimos que podem ser apontados pelo sistema como a tradução apropriada para um segmento quando considerado isoladamente, mas, em seu novo contexto, essa ocorrência pode ser indevida. Na memória utilizada para ilustrar essa análise, com unidades de tradução específicas da agroindústria de cana-de-açúcar, tem-se a ocorrência do homônimo em inglês *truck* que, de acordo com o *Webster's Encyclopedic Unabridged Dictionary of the English Language* (1994, p. 1.501), pode se referir a: (1) *a powerful motor-driven vehicle with large, heavy treads, used for pulling farm machinery, other vehicles, etc.*; ou a (2) *a short truck with a body containing only a cab for the driver used to haul detachable trailers.*[3] A tradução para o português do Brasil nesse contexto seria, respectivamente, (1) trator; ou (2) cavalo mecânico. A

---

3 "um veículo motorizado possante com grandes e pesadas bandas de rodagem utilizado para puxar maquinário agrícola, outros veículos etc.; (2) um caminhão curto com um corpo contendo somente uma cabina para o motorista e utilizado para rebocar reboques destacáveis."

adequação da opção de tradução dependerá da leitura feita pelo tradutor da situação em que o homônimo ocorre, visto que, no mesmo setor da agroindústria canavieira, os dois termos são cabíveis. Novamente, o "segmento isolado", conforme recuperado da memória, pode ser insuficiente para garantir a adequação da tradução.

Os sistemas de memórias de tradução consideram que uma correspondência é total quando o novo segmento de origem difere daquele armazenado na memória somente em termos de elementos considerados variáveis, conhecidos como "colocáveis". Esses elementos abrangem números, datas, nomes próprios, medidas e outras ocorrências que requerem alguma modificação durante a tradução. Um exemplo está na forma como a data é indicada em inglês, pela ordem mês/dia/ano, ao passo que em português indica-se como dia/mês/ano. Essas variações, na maioria das vezes, não afetam a tradução recuperada, que pode ser editada pelo tradutor. O código de cores para correspondências consideradas exatas ou totais pelo sistema é o mesmo; portanto, ainda que o sistema indique 100% de correspondência entre dois segmentos, o usuário é orientado pelos manuais a revisar especialmente as correlações entre os colocáveis, editando-os, se for o caso.

Um trabalho mais extenso de revisão e edição é necessário quando o sistema recupera correspondências consideradas parciais, ou segmentos do texto de origem identificados como semelhantes àqueles armazenados na memória. Os sistemas de memórias analisados não trazem marcas para chamar a atenção do tradutor para as áreas que necessitam ser editadas antes que a tradução proposta seja integrada ao novo texto alvo, mas somente marcam os campos de inserção da tradução em cores diferentes, segundo o índice de semelhança entre o segmento atual e aquele recuperado da memória. Substituições, apagamentos, adições e outras alterações não são identificadas pelo sistema, cabendo ao tradutor identificar os trechos ou as palavras alteradas.

O grau de semelhança entre dois segmentos considerados parcialmente correspondentes pode variar de 1% a 99%, conforme ajustado pelo tradutor ao fazer as configurações iniciais na memória a cada novo trabalho de tradução. Se o tradutor desejar identificar segmentos na memória com reduzidas diferenças com relação ao segmento a ser traduzido, o limiar de sensibilidade para recuperação de um segmento seria ajustado ao maior índice possível, por exemplo, um mínimo de 95% de semelhança entre os segmentos. Essa configuração fará que o sistema recupere somente os segmentos que considerar possuir mínimas variações em relação ao novo segmento de origem. A desvantagem dessa configuração seria a de que o sistema pode deixar de recuperar correspondências parciais que poderiam ser úteis ao tradutor após a devida revisão e adequação. Por outro lado, se o limiar de sensibilidade do sistema for configurado para recuperar correspondências com um índice de semelhança em torno de 10% ou 15%, o sistema pode acabar apresentando sugestões pouco úteis ao tradutor, normalmente identificadas com base em coincidências de emprego de artigos ou preposições.

A fim de evitar que o sistema descarte opções possivelmente proveitosas ou forneça sugestões que requeiram demasiado tempo de revisão, a maior parte dos tradutores trabalha com índices em torno de 60% a 75% de semelhança para traduções especializadas, ou mantêm o *default* do sistema. Nos casos em que o sistema encontra mais de um segmento semelhante em sua memória, todas as opções são apresentadas ao tradutor, sempre elencadas do mais ao menos semelhante ao segmento de origem a ser traduzido, e visualizadas por comandos específicos disponibilizados em cada sistema.

A correspondência terminológica, por sua vez, é identificada pelo sistema quando, nas configurações iniciais, são habilitados glossários ou bases terminológicas bilíngues para que o sistema utilize também esses recursos de pesquisa na busca por correspondências. Essa busca corresponde basicamente a uma consulta a um glossário ou dicionário eletrônico, que pode ter sido integrado ao sistema, tornando-se um recurso de pesquisa proveitoso nos casos em que o sistema não identifica correspondências entre segmentos em sua memória.

Os glossários elaborados como fonte de busca e recuperação terminológica pelas memórias de tradução apresentam características particulares em relação àqueles utilizados especificamente como fonte de pesquisa e que, com frequência, reúnem itens lexicais de diferentes áreas de especialidade. O principal atributo dos glossários para uso em sistemas de memórias seria o de que agregam também termos que seriam considerados corriqueiros (como meses do ano) e que raramente constariam em um glossário para consulta em tradução. Para os tradutores Nogueira e Nogueira (2004), a vantagem de organizar essas informações em glossários estaria no fato de elas serem automaticamente inseridas pelo sistema no campo da tradução, desobrigando o tradutor do trabalho de digitação. Com essa finalidade em vista, expressões recorrentes em textos de uma determinada área, como a expressão "*in accordance with generally accepted accounting principles*",[4] cuja tradução, segundo os tradutores mencionados, seria padronizada na área de contabilidade no português brasileiro, deveria constar no glossário a fim de poder ser inserida na tradução com um único toque.

A determinação do grau de correspondência entre um termo ou segmento armazenado na memória e um novo termo ou segmento a ser traduzido é expressa em porcentagem, porém a maneira como esse cálculo é realizado não é informada aos usuários de nenhum dos sistemas estudados. Os manuais dos sistemas de memória analisados revelam unicamente que as pesquisas para determinação de correspondências bilíngues são realizadas com o auxílio de algoritmos de busca, que comparam o novo texto com o banco de dados, com a finalidade de localizar unidades de tradução idênticas ou semelhantes ao segmento de origem sendo traduzido.

Segundo Somers (2003), o atributo mais importante das memórias de tradução seria sua capacidade de combinar uma frase a ser traduzida com o conteúdo armazenado no banco de dados. Tomando seus estudos sobre projetos de sistemas de memórias, Somers explica que em todos os sistemas, a busca por correspondentes seria baseada no grau de "semelhança da série de caracteres" que formam uma palavra, não existindo nenhum componente de análise semântica dos segmentos. O conceito de comparação de séries

---

4 "de acordo com os princípios geralmente aceitos de contabilidade".

de caracteres é a mesma fórmula aplicada em corretores ortográficos, sendo também conhecida como "Distância de Levenshtein", em referência ao matemático russo que a desenvolveu. A referida distância entre caracteres representaria "uma medida do número mínimo de inserções, apagamentos e substituições necessárias para modificar uma sequência de letras em outra" (Somers, 2003, p.38). Uma pequena distância na edição entre duas séries de letras seria indicativa da semelhança entre elas.

Na literatura sobre memórias de tradução, a comparação de séries de caracteres tem sido uma medida útil para avaliação da utilidade das correspondências propostas por sistemas de memórias. Gow (2006), por exemplo, propõe uma metodologia avaliativa para comparação de duas abordagens de busca e recuperação em dois bancos de dados de memórias de tradução formados por unidades de tradução e por bitextos. A pesquisadora aplica o conceito da Distância de Levenshtein para avaliar a utilidade das correspondências sugeridas por sistemas de memória, conforme determina o Instituto Nacional de Padrões e Tecnologia dos Estados Unidos. Por outro lado, questiona a validade de uma fórmula matemática para identificar a semelhança entre dois segmentos e defende a capacidade humana de determinar se um segmento apontado como correspondente pelo sistema é adequado para uso na nova tradução. A defesa de Gow (2006) reforça a indispensabilidade da revisão minuciosa de um segmento recuperado e de sua avaliação no novo contexto de que fará parte, ainda que o sistema designe uma ocorrência de tradução como correspondente exata daquela recuperada. Diante dessa necessidade, acredito ser justa e indispensável a remuneração do trabalho de leitura e adequação, quando necessária, feito pelo tradutor em correspondências exatas.

Conforme será detalhado na análise dos principais recursos descritos nos manuais do usuário dos sistemas de memórias *Wordfast*, *Trados* e *Transit*, essas ferramentas são projetadas de modo a funcionarem independentemente das línguas de origem e de tradução com as quais lidam. Os recursos disponíveis nesses sistemas de memórias analisam, segmentam e comparam trechos do texto de origem e de suas traduções, sempre por meio de regras programáveis que visam exclusivamente à obtenção de resultados que dinamizem a produção do tradutor, que pode escolher reaproveitar as sugestões da memória na reconstrução do texto em outra língua.

Traduzindo com os sistemas de memórias de tradução *Wordfast, Trados* e *Transit*

A análise dos principais recursos dos sistemas de memória *Wordfast, Trados* e *Transit* é apresentada de acordo com as etapas nas quais o trabalho do tradutor se organiza com o uso dessas ferramentas. Essa disposição visa compor um quadro com os principais meios utilizados pelo tradutor em um trabalho ou projeto de tradução elaborado com o auxílio das memórias.

As ações exigidas antes, durante e após o trabalho de tradução executado com o auxílio de sistemas de memórias podem ser abordadas em três fases: as configurações da memória e preparo do texto de origem no estágio de pré-tradução, a elaboração do texto traduzido na etapa de tradução, e os trabalhos de revisão e atualização do banco de dados da memória durante a fase entendida como pós-tradução.

As tarefas desenvolvidas na fase de pré-tradução são essenciais para o bom desempenho do sistema. Nessa etapa são feitas as configurações iniciais da memória com a qual se vai trabalhar e o texto de origem é preparado para a tradução. As configurações envolvem, por exemplo, a seleção do arquivo que contém o banco de dados que será utilizado para a pesquisa terminológica ou a criação de um novo arquivo, a ser utilizado para armazenar as novas unidades de tradução formadas.

Em trabalhos extensos executados por diversos tradutores, uma situação bastante comum na indústria da localização, há o recurso opcional de análise do material de origem executada pelas memórias durante a fase designada pré-tradução. Ao decompor o texto de origem, esse recurso faz um levantamento do número de palavras e de repetições do texto, que são informações relevantes para a elaboração de estimativas de custo e prazo para execução do trabalho. Pelo recurso de análise, também é possível calcular o número de ocorrências do texto a ser traduzido que sejam total ou parcialmente coincidentes com as informações terminológicas e fraseológicas armazenadas no banco de dados da memória e que serão passíveis de reaproveitamento. A avaliação do texto de origem com o uso do recurso de análise pode ajudar a determinar que tipos de ganhos de produtividade o sistema de memória proporcionará.

Ainda durante a etapa de análise e preparo do texto de origem, é possível utilizar recursos dos sistemas de memória para efetuar a pré-tradução desse material. Com base no conteúdo dos bancos de dados da memória, o sistema é capaz de traduzir automaticamente os termos ou trechos de texto coincidentes com o conteúdo da memória, deixando na língua de origem as ocorrências não concordantes. Essa operação pode ser feita em um ou mais arquivos simultaneamente antes do início do trabalho de tradução e sem a interferência do tradutor durante o processo. O tradutor, ou a agência de tradução, atuaria somente na definição do grau de correspondência a ser considerada pelo sistema para substituição dos segmentos (100% para correspondências exatas e de 0 a 99% para correspondências parciais). Outra possibilidade apresentada pela maior parte dos sistemas para a tarefa de pré-tradução seria a integração de programas de tradução automática.

Na etapa de tradução, o tradutor trabalha com o texto de origem pré-processado pelo sistema de memória, o que significa que ele será traduzido conforme segmentado e, sempre que praticável, com partes pré-traduzidas pelo sistema. Os termos ou trechos de origem pré-traduzidos são apresentados ao tradutor juntamente com aqueles mantidos na língua de origem por não constarem no banco de dados da memória ou, quando utilizada a tradução automática, por não terem sido traduzidos pelo programa utilizado. Os termos ou segmentos pré-traduzidos podem ser mantidos ou modificados durante a tradução, entretanto, qualquer trabalho de edição de pré-traduções requer autorização, já que, em casos de projetos em que atuam vários tradutores, a utilização e a padronização terminológica são controladas por gerentes de terminologia, e o tradutor, em geral, não tem autonomia para realizar as mudanças que desejar. Nessas condições, seu trabalho limita-se a traduzir os segmentos novos, para os quais o sistema não encontrou correspondência e revisar os segmentos parcialmente traduzidos e com indicação de grau de correspondência inferior a 100%.

Os trabalhos da etapa de pós-tradução dependerão do tipo de projeto e dos recursos disponibilizados pelo sistema de memória utilizado, mas envolvem, basicamente, a revisão e a atualização do banco de dados da memória de tradução. O tradutor *freelance*, nessa etapa, realiza a revisão da tradução e tem a oportunidade de incrementar sua memória de tradução. Se ele presta serviços a uma agência, sua produção também incrementará o banco de dados da contratante de seus serviços.

Já em grandes projetos de tradução, todas as etapas exigem atenção especial e sintonia entre os tradutores envolvidos no processo, sendo essencial que o gerente de projetos confira e atualize regularmente as respectivas memórias de tradução. A designação de uma pessoa responsável pelo controle do banco de dados seria uma forma de garantir a padronização terminológica do projeto em questão e de evitar que inconsistências terminológicas se multipliquem rapidamente, uma vez que todos os dados terminológicos são compartilhados em tempo real por todos os tradutores envolvidos em um projeto.

Uma situação possível quando tradutores usam o mesmo banco de dados em um projeto de tradução ocorre quando há mais de uma opção de tradução para um mesmo termo ou trecho de texto de origem e que acabam sendo armazenadas no banco de dados sem a devida contextualização, gerando confusões com a troca de informações terminológicas entre tradutores. Essa ocorrência pode levar ao emprego inadequado de terminologia, interferindo no trabalho de tradução como um todo.

Os recursos apresentados a seguir oferecem uma introdução ao funcionamento e ao uso das memórias de tradução *Wordfast*,

Trados e *Transit* especificamente nas etapas de pré-tradução, em que se determina o funcionamento do sistema e o índice de recuperação de segmentos, e a de pós-tradução, fase em que a revisão e a atualização do banco de dados são realizadas.

Os três sistemas analisados podem ser divididos em dois grupos, formados segundo as características compartilhadas por esses sistemas: um grupo formado pelos sistemas *Wordfast* e *Trados*, cujos bancos de dados salvam os segmentos de origem e sua tradução como uma Unidade de Tradução (UT), e outro grupo, representado pelo sistema *Transit*, que não salva segmentos e suas traduções em um banco de dados, mas permite que, a cada trabalho de tradução, sejam reunidos e incorporados textos de origem e suas traduções ao sistema como material de consulta e referência de busca memória. Os dois diagramas seguintes ilustram a organização dos sistemas de memória *Wordfast* e *Trados* Translator's Workbench e *Transit*, respectivamente.

Diagrama 1 – No *Wordfast* e no *Trados Translator's Workbench*, os segmentos do texto de origem e suas traduções são pareados e salvos como unidades de tradução no banco de dados do sistema.

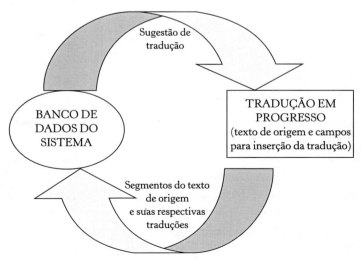

Fonte: *Wordfast* e *Trados*: modelo banco de dados.

O modelo anterior representa a forma mais comum de organização dos sistemas de memórias disponíveis na contemporaneidade.
O banco de dados da memória é consultado a cada segmento a ser
traduzido. Quando são identificadas semelhanças entre o segmento
de origem e aquele armazenado no banco de dados, a tradução armazenada para aquele segmento é imediatamente apresentada ao
tradutor para reaproveitamento no trabalho em desenvolvimento.
Ao concluir a tradução de um segmento, o tradutor, com o mesmo
comando utilizado para fechar o campo traduzido e passar para
o próximo, envia o par bilíngue formado para ser armazenado no
banco de dados, habilitando-o para reutilizá-lo em seguida.

Diagrama 2 – No *Transit*, uma memória de referência, formada a partir do
pareamento de textos de origem e de suas traduções, é gerada para cada projeto
de tradução.

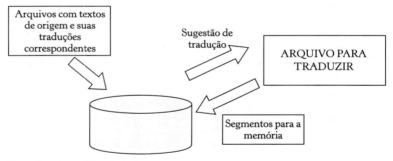

Fonte: *Transit*: modelo referência.

Os sistemas que criam uma memória de tradução de referência
permitem ao tradutor selecionar os arquivos que serão consultados
pelo sistema a cada projeto. Essa seleção é realizada na etapa de pré-
-tradução, em que são feitas as configurações do sistema específicas
para o trabalho a ser iniciado, com a seleção dos arquivos que servirão de base para pesquisa e recuperação de segmentos identificados
como semelhantes. A memória de referência não salva os textos que
a compõem em um arquivo único, mas possui meios de construir
relações entre esses textos e segmentos que formam o arquivo a

ser traduzido. A consulta de um segmento nos arquivos armazenados na memória permite ao tradutor considerar o contexto em que o texto se insere, o que pode conferir-lhe maior segurança ao optar pelo reaproveitamento de alguma sugestão da memória.

Uma possível desvantagem de sistemas que formam a memória tradução para cada tradução estaria na necessidade de o tradutor identificar os arquivos que poderão ser úteis para um determinado trabalho, uma tarefa a mais que exige organização dos arquivos que serão usados como referência. Já os sistemas que compilam bancos de dados definitivos trazem de antemão todo o conjunto de unidades de tradução formadas a partir de trabalhos anteriores, bastando ao tradutor indicar ao sistema a memória a ser consultada, a qual se encontra em formato de arquivo com extensão .txt. Além disso, conforme será apresentado, a consulta à memória de referência do *Transit* não é um procedimento simples, exigindo o domínio de uma série de comandos para análise dos textos de referência.

Outra característica que diferencia o *Wordfast* e o *Trados* do sistema *Transit* é identificada na interface de trabalho que essas ferramentas apresentam. O aproveitamento dos recursos oferecidos pelas memórias é possibilitado pela integração entre o tradutor e a interface de cada sistema, esta entendida, segundo o *Dicionário de informática*, da Microsoft Press (1998, p.436), como um programa que interage com o usuário podendo ser "uma interface de linhas de comandos, uma interface baseada em menus ou uma interface gráfica com o usuário".

Os sistemas *Wordfast* e *Trados* utilizam o ambiente do Microsoft Windows e possuem interfaces gráficas com comandos fixados no processador de texto no aplicativo do processador de textos *Word*. O texto traduzido mantém a formatação original quando armazenado na memória, preservando marcações de espaçamento e de fontes, por exemplo. Essa configuração apresenta a vantagem de não requerer que o tradutor importe o texto de origem para o sistema de memória, e nem tenha de exportar a tradução final para um processador de textos para o trabalho de revisão e edição. Todavia, trabalhos salvos em arquivos com formatos não legíveis pelo aplicativo do *Word* necessitam ser convertidos, em geral, por filtros específicos para esse fim e que acompanham os sistemas que trabalham com esse processador de textos.

O sistema de memória *Transit*, por sua vez, possui uma interface com editores de texto próprios e que operam no interior do sistema operacional do Windows, conforme especificado no manual do usuário. A tradução é realizada em um ambiente de trabalho próprio do *software*, para a qual o texto original é importado antes do início da tradução. A cada novo projeto de tradução, o tradutor necessita realizar algumas configurações necessárias para operar o sistema, incluindo a escolha das línguas de trabalho, a indicação dos arquivos que serão utilizados como referência para pesquisa e reutilização, e o estabelecimento das regras de segmentação para o trabalho a ser executado. Essas configurações serão tratadas em detalhes no item de introdução à memória *Transit*.

Cada sistema de memória trata os arquivos de origem de modo próprio, por meio de filtros específicos de cada sistema. Os filtros atuam durante o procedimento de importação de textos e têm a função de converter o formato do documento de origem em um outro que seja legível pelo sistema, mantendo as configurações originais intactas, ainda que não visíveis ao tradutor. Eles oferecem também a possibilidade de armazenar arquivos com extensão .tmx (*translation memory exchange*), um formato de arquivos intercambiável entre memórias diferentes, que determina o modo como os segmentos de um texto são definidos e alinhados nas memórias, possibilitando a transferência de um arquivo para sistemas que admitem esse padrão. Essa extensão permite, por exemplo, que uma memória de tradução criada pelo sistema *Trados* (ou, até pelo *Transit*) seja importada para uso no *Wordfast* e vice-versa sem perder ou distorcer as informações.

Os filtros também possibilitam o intercâmbio de arquivos, como textos, tabelas e bancos de dados, entre clientes e tradutor. Terminado o trabalho de tradução, eles restauram o formato original do arquivo, tornando possível a entrega do texto traduzido no formato em que ele foi enviado na origem. O uso de filtros pode ser eficaz especialmente do ponto de vista econômico e de desempenho, pois dispensam o tradutor do investimento em vários sistemas de preferência de diferentes clientes. Traduzir utilizando sempre a mesma interface constitui um benefício para a produtividade na medida em que desobrigaria o tradutor de constantemente reaprender ou relembrar as funções e as diversas teclas de atalhos dos vários sistemas de memórias comercializados.

A seguir são apresentadas as principais funções dos sistemas *Wordfast*, *Trados* e *Transit*, respectivamente. A análise dos recursos de cada ferramenta segue a organização do trabalho de tradução proposta nos manuais de usuário de cada sistema: para o *Wordfast*, o *Wordfast User Manual* (1999-2006); para o *Trados Translator's Workbench*, o Translator's *Workbench User Guide* (2006); e para o *Transit*, o *Transit XV User's Guide* (2005).

A tradução com o *Wordfast* – recursos de tradução agregados ao processador de textos do tradutor

O *Wordfast* é descrito por seu manual como um "programa de tradução auxiliado por computador" (*CAT program*) que agrega dois recursos tecnológicos: a segmentação e a memória de tradução. Em sua concepção, o *Wordfast* não seria caracterizado como um arquivo executável propriamente dito (uma vez que não apresenta a extensão .exe), mas seria considerado um *template* ou uma "máscara" que, de acordo com o *Dicionário de informática*, da Microsoft Press (1998, p.709), oferece um conjunto de teclas especiais e uma combinação de comandos de teclado desenvolvidos especialmente para auxiliar o trabalho de tradução, com vistas a aumentar a consistência terminológica e a produtividade do tradutor. O *Trados*, apresentado na próxima seção, possui a mesma característica.

Desenvolvido pelo engenheiro e tradutor francês Yves Champollion, o *Wordfast* foi concebido para operar como um recurso de teclas específicas a partir de comandos em uma barra de ferramentas instalada no aplicativo do *Word*. A opção de utilizar o *Word* como base deveu-se ao fato de ser esse o programa utilizado pela maioria dos profissionais, o que facilita o aprendizado e a utilização da ferramenta. Assim, trabalhos em arquivos em HTML ou em formatos PowerPoint, Excel ou Access, compatíveis com o formato do *Word*, são transferidos para esse para a tradução com o *Wordfast* e automaticamente restituídos aos seus formatos originais no decorrer do trabalho, na maioria das vezes, preservando as configurações do texto original, sem que o tradutor necessite reformatar o material traduzido. A Figura 2 apresenta uma demonstração da interface do *Wordfast* em execução no *Word*:

Figura 2 – Interface do sistema de memória *Wordfast*. A barra de ferramentas, cujos ícones acionam funções específicas do sistema, fixa-se no processador de textos do processador de textos *Word*.

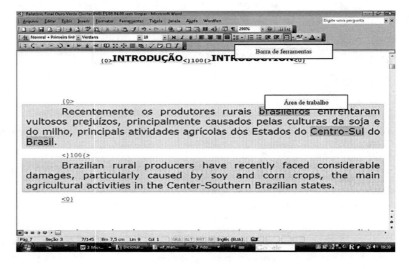

A interface do sistema *Wordfast* apresenta um trabalho de tradução em execução e composto por um campo com o texto de origem (com o segmento do texto de origem) e um campo para a inserção da tradução, nesse caso, em verde. As correspondências consideradas idênticas pelo sistema são marcadas em verde, como nesse exemplo recuperado da memória e considerado pelo sistema como sendo 100% coincidente com o trecho do texto de origem a ser traduzido. As correspondências parciais, por sua vez, são exibidas em amarelo, e, nos casos em que o sistema não recupera nenhuma informação da memória, o campo é exibido em cinza claro.

Observam-se também na Figura 2 os marcadores de início e fim de um termo (Introdução) e de trechos de texto segmentados pelo sistema. Entre esses marcadores são indicados os graus de semelhança entre o termo ou trecho de origem e sua respectiva tradução. Os trechos assim demarcados são armazenados na memória de tradução como unidades de tradução. De acordo com o manual do usuário, o *Wordfast* tem capacidade de armazenagem de quinhentas mil unidades de tradução, com a possibilidade de um incremento de capacidade de outros duzentos milhões de unidades com a instalação do complemento *Wordfast* Server.

Na etapa de pré-tradução, o sistema *Wordfast* requer a seleção dos arquivos de memórias a serem consultados pelo sistema. Esses arquivos contêm o banco de dados compilado em formato .txt e são, geralmente, nomeados segundo as direções da língua de origem para a língua alvo, a fim de orientar a consulta da memória pelo sistema. A cada novo trabalho de tradução, o tradutor pode criar um novo arquivo para a memória ou selecionar uma memória existente e com a qual trabalhará, ou seja, um arquivo no qual o sistema realizará a pesquisa terminológica e para onde serão enviadas as unidades de tradução produzidas a partir do trabalho desenvolvido.

O comando *Reorganise* [reorganizar] exibido na Figura 3 realiza a inversão da direção das línguas de origem e alvo do arquivo de memória, permitindo a consulta às unidades de tradução segundo o interesse do tradutor. Na seleção do arquivo de uma memória de tradução são apresentadas informações como a data de criação, as iniciais do responsável pela criação da memória, e as línguas de origem e alvo da mesma. Essas informações, denominadas atributos, são úteis no controle das modificações da memória, quando autorizado, e na identificação do autor da tradução de um determinado segmento, em casos de projetos extensos em que atua uma equipe de tradutores. A opção *"share TM through a LAN"* (nesse exemplo, não selecionada), habilita uma mesma memória para ser compartilhada entre vários tradutores.

Figura 3 – Janela da memória de tradução do sistema *Wordfast* ativada pelo ícone de inicialização do sistema na barra de ferramentas.

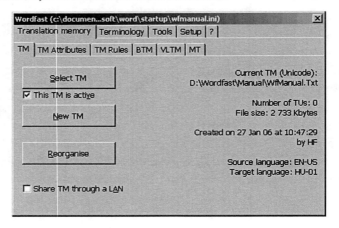

Cada uma das abas da janela da Figura 3 permite a configuração de diferentes funções do sistema *Wordfast*. Pela aba *TM Rules* (Regras da Memória de Tradução), por exemplo, é possível definir as regras para reaproveitamento de uma opção de tradução armazenada na memória. O sistema *Wordfast* tem como *default* a opção *"Add to TM by overwriting the existing TU"* (Adicionar à memória de tradução sobrescrevendo à unidade de tradução existente). Essa regra determina que toda vez que uma unidade de tradução é editada quando apresentada ao tradutor como correspondente (no campo em verde ou em amarelo), o sistema substitui a unidade anterior pelo novo segmento editado, que é armazenado como uma nova unidade de tradução na memória. Outro exemplo é a aba *MT* (tradução automática), que permite ao usuário recorrer à automação, que pode ser útil especialmente em casos em que nenhuma correspondência é apresentada pelo banco de dados do sistema de memória. Quando um sistema de tradução automática é agregado a um sistema de memória de tradução, o computador primeiro faz uma pesquisa na memória em busca de uma correspondência para uma frase a ser traduzida. Se não encontra nenhuma semelhança, o tradutor pode solicitar que o sistema de tradução automática traduza a frase, editar o resultado e armazenar a tradução na memória.

A aba *Tools* (ferramentas) disponibiliza cinco funções importantes na operação do *Wordfast*, tanto durante os trabalhos de pré-tradução, pelos recursos *Analyze* (analisar), *Translate* (traduzir) e *Extract* (extrair), como na edição do material já traduzido, utilizando os recursos *Clean-up* (limpeza) e *Quality-check* (conferência de qualidade). Na Figura 4, apresenta-se uma ilustração das opções oferecidas nessa aba.

Figura 4 – Funções da aba *Tools* do sistema *Wordfast*. Todos os documentos em execução no processador *Word* são exibidos na lista de documentos da aba Tools. Os comandos disponibilizados nessa aba realizam funções específicas e que são aplicadas em todos os documentos selecionados.

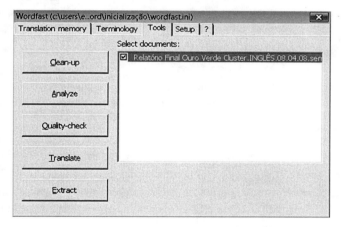

Ao finalizar uma tradução, durante a etapa de pós-tradução, o tradutor pode examinar um ou mais arquivos traduzidos pelo recurso *Quality-check* da aba *Tools* que tem como principais funções verificar a ortografia e a gramática dos segmentos traduzidos e conferir e controlar a correspondência entre o número de segmentos de origem e da tradução. Esse controle dos segmentos é importante, pois interfere também na qualidade das unidades de tradução armazenadas na memória e que servirão como referência para trabalhos posteriores.

Quando acionado na etapa de pré-tradução, o comando *Analyze*, disponível também nos outros dois sistemas estudados, apresenta estatísticas com o número de segmentos e palavras no texto a ser traduzido, assim como um levantamento do número de palavras repetidas. Essa função auxilia o tradutor no exame do texto de origem, munindo-o com informações adicionais que podem ser úteis para a elaboração de estimativas de prazo e custos de tradução. Por outro lado, frequentemente a informação sobre o número de repetições de palavras em um texto interfere contrariamente na remuneração do tradutor. Segundo uma pesquisa elaborada por Rieche (2004, p.19) com tradutores prestadores de serviços de localização,

> as agências de tradução também utilizam o resultado dessas análises para definir os gastos com os tradutores, uma vez que o preço por palavra é estabelecido em uma relação inversamente proporcional ao grau de correspondência. Por exemplo, a empresa pode optar por não pagar pelas palavras identificadas como 100% equivalentes e pagar o preço integral para o que for 0%. De 0 a 100%, há uma escala de descontos sobre o preço de palavra. As consequências desse sistema de pagamento podem ser ruins, uma vez que o tradutor não examinará as coincidências de 100%, que, muitas vezes, podem conter erros.

De acordo com as respostas fornecidas a um questionário aplicado pela pesquisadora, é prática comum o desconto no valor pago por palavra em ocorrências consideradas repetidas ou semelhantes às opções armazenadas na memória, em geral, fornecida pelo cliente ou resultante de trabalhos anteriormente realizados e remunerados. Conforme será discutido no Capítulo 3, os recursos disponíveis nos sistemas de memórias estudados, que permitem o exame da composição do texto de origem (para detectar a reocorrência de termos ou frases, por exemplo), afetam não somente o cálculo dos honorários do tradutor, como também interferem na maneira como ele traduzirá esse texto, uma vez que, ao deixar de tratar as ocorrências não remuneradas, a qualidade do texto final, e até da memória resultante desse trabalho, pode ser comprometida. De fato, ao lidar com grandes extensões de texto, a tendência do tradutor é concentrar-se nos segmentos não traduzidos e nas correspondências parciais, deixando por último (e, até, ignorando, por não ser remunerado) as correspondências exatas. A pré-análise do texto efetuada pelas agências para estimativa de custos de tradução não leva em conta os possíveis erros e problemas que correspondências tidas como exatas podem apresentar. Reitero que, mesmo o segmento apresentado como 100% correspondente requer a leitura e adequação à tradução em desenvolvimento. Essa adequação também é importante para a coesão textual.

Outro recurso oferecido pelo *Wordfast*, assim como pelas outras memórias analisadas, é aquele que permite realizar a pré-tradução automática do texto de origem com base nas unidades de tradução armazenadas na memória. No *Wordfast*, essa função é acionada pelo comando *Translate* na aba *Tools*. Segmentos que não apresentam correspondentes na memória são reproduzidos no texto de origem ou traduzidos automaticamente, se houver um programa de tradução automática instalado. Conforme disposto no manual do usuário, o trabalho de tradução é agilizado com o uso desse recurso, uma vez que o texto é totalmente segmentado e as correspondências são detectadas na memória e inseridas no texto de origem antes do início do trabalho pelo tradutor. Esse é mais um recurso que, em geral, é utilizado por agências de tradução antes da contratação de um tradutor. Com ele, termos e frases encontrados no texto de origem, já segmentado, são comparados aos dados da memória e automaticamente substituídos, conforme o grau de correspondência estabelecido no sistema. Ao tradutor restarão os segmentos novos, para os quais o sistema não encontrou correspondência alguma na memória, e aqueles parcialmente traduzidos, com correspondência inferior a 100%, e que exigirão revisão e adequação ao novo contexto.

Finalizada a tradução, o tradutor realiza a "revisão manual" do texto, ou seja, edita os segmentos traduzidos nos próprios campos em que eles foram introduzidos e que, nessa etapa, encontram-se separados por marcadores. Terminada a revisão, o tradutor aciona o comando *Clean-up* e elimina todas as marcações de segmentos, assim como os segmentos do texto de origem, permitindo a visualização somente do texto traduzido. A memória de tradução é automaticamente atualizada para incluir possíveis correções e alterações executadas durante a revisão do trabalho traduzido. A Figura 5 apresenta um texto traduzido e em processo de revisão, exibindo as marcações dos segmentos de origem e da tradução.

Figura 5 – Tradução finalizada em processo de revisão com o *Wordfast*. A exibição dos segmentos de origem, seguidos de suas respectivas traduções, auxilia a conferência pelo tradutor.

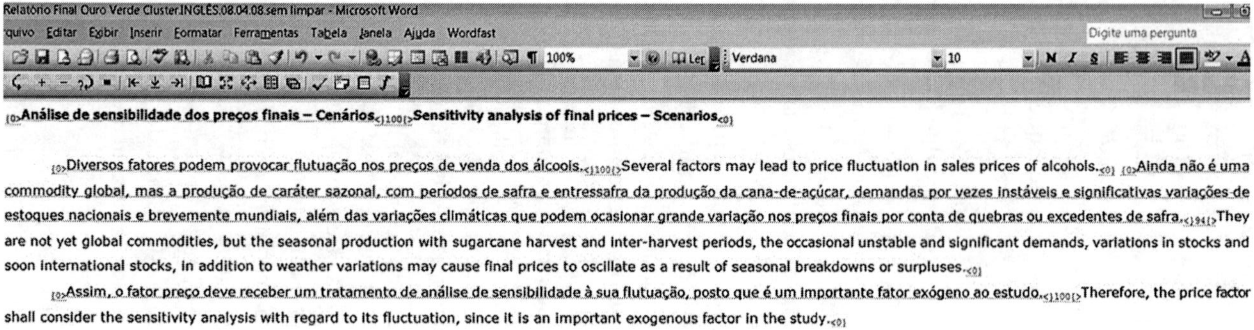

Relatório Final Ouro Verde ClusterINGLES3804.08.sem limpar - Microsoft Word

rquivo Editar Egibir Inserir Eormatar Ferramentas Tabela Janela Ajuda Wordfast

100%   Verdana   10   N I S   Digite uma pergunta

{0>Análise de sensibilidade dos preços finais – Cenários<}100{>Sensitivity analysis of final prices – Scenarios<0}

{0>Diversos fatores podem provocar flutuação nos preços de venda dos álcoois.<}100{>Several factors may lead to price fluctuation in sales prices of alcohols.<0} {0>Ainda não é uma commodity global, mas a produção de caráter sazonal, com periodos de safra e entressafra da produção da cana-de-açúcar, demandas por vezes instáveis e significativas variações de estoques nacionais e brevemente mundiais, além das variações climáticas que podem ocasionar grande variação nos preços finais por conta de quebras ou excedentes de safra.<}141{>They are not yet global commodities, but the seasonal production with sugarcane harvest and inter-harvest periods, the occasional unstable and significant demands, variations in stocks and soon international stocks, in addition to weather variations may cause final prices to oscillate as a result of seasonal breakdowns or surpluses<0}

{0>Assim, o fator preço deve receber um tratamento de análise de sensibilidade à sua flutuação, posto que é um importante fator exógeno ao estudo.<}139{>Therefore, the price factor shall consider the sensitivity analysis with regard to its fluctuation, since it is an important exogenous factor in the study.<0}

Em trabalhos contratados por agências, é praxe o tradutor fornecer o texto sem a "limpeza" final, uma vez que esse mesmo procedimento é usado para atualizar a memória de tradução. Ao fornecer o texto traduzido juntamente com seus segmentos de origem, o tradutor possibilita que o contratante da tradução tenha em mãos novas unidades de tradução para incrementar a memória que, como mencionado anteriormente, deixarão de ser remuneradas se reocorrerem em trabalhos posteriores.

Conforme demonstrado, o *Wordfast* possibilita a constituição da memória na medida em que a tradução é realizada. Para casos em que o tradutor deseje aproveitar textos anteriormente traduzidos sem o auxílio de memórias, o *Wordfast* disponibiliza a ferramenta *Plus Tools*, um programa adicional e gratuito para usuários *Wordfast* que permite que sejam feitas pesquisas e substituições de termos em vários arquivos simultaneamente. É possível também converter arquivos em formatos não compatíveis com o *Word* (e, portanto, com o *Wordfast*). Entre os recursos oferecidos por essa ferramenta, está o *Plus Align*, que permite o alinhamento de arquivos de origem e suas traduções, elaborados sem o auxílio do *Wordfast*, para serem adicionados à memória de tradução desse sistema e servirem como referência terminológica para o tradutor em trabalhos futuros.

Para realizar o alinhamento, o usuário, após iniciar o *Wordfast*, seleciona, pela aba *Tools*, os arquivos dos textos de origem e da tradução e realiza a extração dos segmentos desses arquivos com o comando *Extract*. Os segmentos extraídos são identificados pelo sistema como pertencentes ao arquivo de origem e ao arquivo de destino. Os dois arquivos de extração assim gerados são, então, abertos pelo recurso *Plus Align* da ferramenta *Plus Tools*. O acionamento do comando *Align* [alinhar] faz que os segmentos dos arquivos de origem e de destino sejam exibidos em um único arquivo, lado a lado em uma tabela, conforme demonstrado a seguir. Assim dispostos, os segmentos de origem e da tradução podem ser revisados e ajustados manualmente pelo tradutor.

Figura 6 – O recurso *Plus Align* alinha os segmentos extraídos de textos de origem e tradução em uma tabela ou os dispõem lado a lado.

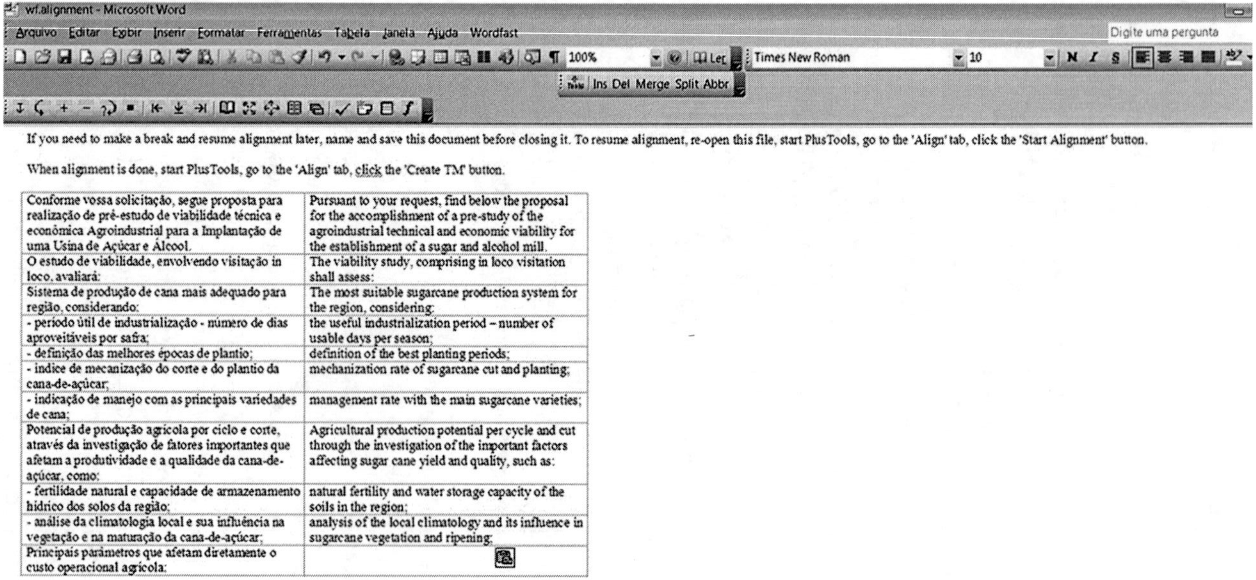

If you need to make a break and resume alignment later, name and save this document before closing it. To resume alignment, re-open this file, start PlusTools, go to the 'Align' tab, click the 'Start Alignment' button.

When alignment is done, start PlusTools, go to the 'Align' tab, click the 'Create TM' button.

Conforme vossa solicitação, segue proposta para realização de pré-estudo de viabilidade técnica e econômica Agroindustrial para a implantação de uma Usina de Açúcar e Álcool.	Pursuant to your request, find below the proposal for the accomplishment of a pre-study of the agroindustrial technical and economic viability for the establishment of a sugar and alcohol mill.
O estudo de viabilidade, envolvendo visitação in loco, avaliará:	The viability study, comprising in loco visitation shall assess:
Sistema de produção de cana mais adequado para região, considerando:	The most suitable sugarcane production system for the region, considering:
- período útil de industrialização - número de dias aproveitáveis por safra;	the useful industrialization period – number of usable days per season;
- definição das melhores épocas de plantio;	definition of the best planting periods;
- índice de mecanização do corte e do plantio da cana-de-açúcar;	mechanization rate of sugarcane cut and planting;
- indicação de manejo com as principais variedades de cana;	management rate with the main sugarcane varieties;
Potencial de produção agrícola por ciclo e corte, através da investigação de fatores importantes que afetam a produtividade e a qualidade da cana-de-açúcar, como:	Agricultural production potential per cycle and cut through the investigation of the important factors affecting sugar cane yield and quality, such as:
- fertilidade natural e capacidade de armazenamento hídrico dos solos da região;	natural fertility and water storage capacity of the soils in the region;
- análise da climatologia local e sua influência na vegetação e na maturação da cana-de-açúcar;	analysis of the local climatology and its influence in sugarcane vegetation and ripening.
Principais parâmetros que afetam diretamente o custo operacional agrícola.	

Os segmentos pareados com o Plus Align podem ser exibidos de maneira integral ou somente em seus primeiros quarenta caracteres, facilitando a visualização pelo tradutor. Como a revisão e o ajuste do alinhamento são feitos pelo tradutor no ambiente do *Word*, os recursos de pesquisa e substituição desse aplicativo podem ser utilizados para auxiliar nessas tarefas. Os segmentos alinhados são mantidos no *Word* e, na mesma janela do *Plus Align*, o comando *Create TM* [criar memória de tradução] pode ser acionado para criar um arquivo de memória com base nos segmentos de textos alinhados. O tradutor pode adicionar esses segmentos à memória do próprio *Wordfast* ou exportá-los (no formato TMX) para serem fundidos em memórias de outros sistemas, como o *Trados*, que será introduzido a seguir.

A tradução com o *Trados* – recursos de auxílio ao tradutor e de gerenciamento terminológico

O sistema de memória *Trados* foi concebido nos anos 1980 por Mochen Hummel e Iko Knyphausen, ex-alunos da Universidade de Stuttgart, Alemanha, que vislumbravam utilizá-lo para comercializar serviços de tradução à empresa norte-americana IBM. Tendo alcançado uma receptividade bastante positiva em sua concepção inicial, o *Trados* foi aprimorado e passou a ser comercializado em diferentes partes do mundo e, em 2005, a empresa que o desenvolveu foi adquirida pela SDL International, uma concorrente comercializadora de produtos e serviços de gerenciamento de informações em diferentes línguas. Atualmente, a liderança da SDL no mercado de prestação de serviços de tradução é amplamente divulgada tanto pela página eletrônica do fabricante como pela literatura referente à aplicação de memórias em tradução.[5]

---

5 Ver, por exemplo, Benis (1999); Esselink (2000); Austermühl (2001); Nogueira (2002); e Pym et al. (2006).

Diferentemente do *Wordfast*, que se apresenta em uma única versão, como uma "ferramenta aberta e universal" direcionada a tradutores autônomos, o *Trados* é comercializado em dois diferentes pacotes de ferramentas, que buscam atender necessidades de tradutores autônomos (versão *Freelance*) e de agências de tradução (versão *Professional*), esta com um número maior de recursos, inclusive com capacidade de receber e gerenciar projetos de traduções e de compartilhar memórias de tradução em rede, uma opção indisponível na versão *Freelance*, que possibilita salvar a memória somente em um computador pessoal. Ambas as versões contam com os três aplicativos básicos e de maior utilização no *Trados*: o *Translator's Workbench*, a base do sistema e gerenciador das memórias de tradução; o *TagEditor*, que permite a edição de textos em formatos não compatíveis com o *Word*; e o *WinAlign*, que possibilita o alinhamento de arquivos que não foram traduzidos com o *Trados* e a posterior importação dos segmentos desses arquivos para a memória do sistema. Além desses aplicativos, o *Trados* conta com o MultiTerm, um programa independente que organiza as bases terminológicas (*termbases*), em que são feitas as pesquisas para reconhecimento e recuperação termos pelo Translator's Workbench.

De maneira semelhante ao *Wordfast*, o *Trados* também instala sua barra de ferramentas no processador de textos, como o *Word*, habilitando funções específicas do sistema de memória para o trabalho de tradução. Antes do início de um trabalho de tradução, também é possível utilizar o recurso *Analyse* [analisar], disponível no menu ferramentas do *Trados*, para estimar o número de palavras contidas em um ou mais textos de origem. De acordo com o manual do usuário, o conteúdo desses materiais é comparado aos dados da memória de tradução para calcular as ocorrências coincidentes armazenadas e passíveis de recuperação. Essa comparação serve para o tradutor estimar se o banco de dados de que dispõe pode lhe ser útil no reaproveitamento de termos, expressões e segmentos já antes traduzidos. A Figura 7 ilustra o recurso *Analyse* do *Trados*. Observam-se o campo para inserção dos documentos de origem e as colunas com os dados subdivididos em número de segmentos, número de palavras e porcentagem.

Figura 7 – O processamento de dois arquivos de origem pelo recurso *Analyse* do *Trados*.

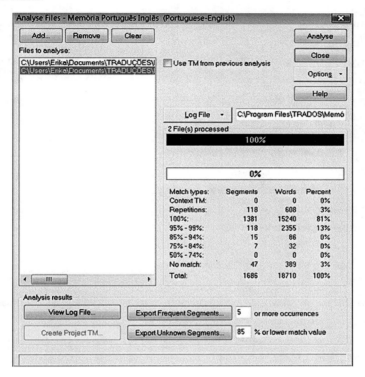

O recurso de análise tem capacidade de avaliar mais detalhadamente o texto, em relação às funções de contagem de caracteres disponíveis em processadores do texto como o *Word*, por registrar somente uma vez termos ou segmentos repetidos. De acordo com o manual do *Trados*, a informação sobre o número de repetições existentes ajudaria o tradutor a elaborar uma estimativa de custos mais condizente com o trabalho a ser realizado. Por outro lado, o sistema não informa o contexto no qual essa repetição estaria inserida. Essa informação pode influenciar o tempo que o tradutor necessitará para elaborar a tradução, especialmente se considerarmos os diferentes significados que os termos assumem dependendo do contexto do qual fazem parte.

Além do recurso de análise, o *Trados* realiza também a tradução automática do texto de origem, seja com base nos dados terminológicos armazenados no MultiTerm, seja pela incorporação de um programa de tradução automática, da mesma forma que o *Wordfast*. Esse recurso é rotineiramente utilizado por agências ou contratantes de serviços de tradução que possuem o sistema *Trados* para se desobrigarem do pagamento por palavras e segmentos traduzidos anteriormente. O pagamento integral da tradução é concedido somente para casos de *"no match"*, ou não correspondência, entre o conteúdo do texto de origem a ser traduzido e as unidades de tradução da memória.

O sistema também pode ser ajustado para considerar ocorrências de *"fuzzy match"*, ou correspondência parcial, na tradução automática do texto. Nos casos em que são identificadas palavras com a porcentagem de semelhança selecionada, um índice que geralmente varia de 75% a 99%, a remuneração também sofre decréscimo correspondente ao grau de semelhança entre a palavra ou segmento a serem traduzidos e seus correspondentes recuperados da memória.

Um índice de semelhança sugerido pelo manual do *Trados* é de 95%, considerado adequado para recuperar segmentos que apresentem pequenas diferenças, como de pontuação, por exemplo. Se o índice de semelhança é muito inferior, o sistema pode inserir segmentos com pouca semelhança ao segmento de origem, o que pode gerar confusão e um excessivo trabalho de revisão para o tradutor.

A Figura 8 apresenta o recurso *Translate* [traduzir] que, nesse caso, processa um arquivo de origem e o traduz parcialmente, conforme identifica correspondências entre os segmentos desse arquivo e aqueles armazenados na memória do sistema:

Após aplicação dos recursos e análise e a tradução parcial do texto de origem, a sessão de tradução é iniciada pelo tradutor com a abertura dos dois principais componentes que se integram à ferramenta de auxílio à tradução *Trados*: o *Translator's Workbench* e o *MultiTerm*. A Figura 9 apresenta uma tradução em execução com o

Figura 8 – O recurso *Translate* examina os arquivos selecionados e os traduz automaticamente segundo o índice de semelhança demarcado para a comparação entre o texto a ser traduzido e o conteúdo da memória utilizada.

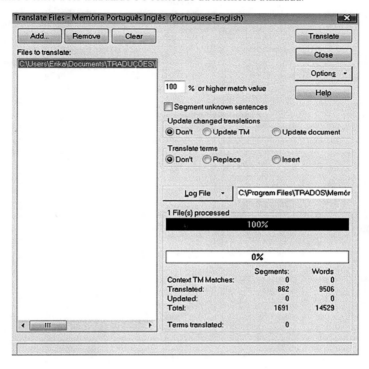

auxílio do *Trados*: o *Translator's Workbench*, com o documento a ser traduzido, e o *MultiTerm*, que contém a base de dados terminológicos do sistema. Quando o sistema identifica uma ocorrência por ele considerada idêntica (como no exemplo a seguir) ou até certo grau semelhante a uma unidade de tradução armazenada na memória, ela é automaticamente transferida para o campo da tradução na área de trabalho *Word* para serem validados ou editados pelo tradutor. A indicação do grau de semelhança também é feita por meio de cores nos campos da tradução, com a cor verde, como indicada no exemplo a seguir, sinalizando uma correspondência 100% idêntica à unidade armazenada na memória.

Figura 9 – Interface do sistema de memória *Trados* e barra de ferramentas que, quando aberta, fixa-se à barra de ferramentas do *Word*.

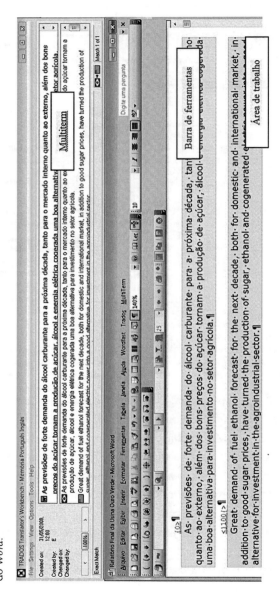

Quando instalado, o *Trados*, semelhantemente ao *Wordfast*, comunica-se com o *Word* por meio de uma máscara que, quando ativada com a exibição da barra de ferramentas da memória no processador de textos, habilita no teclado os comandos específicos das funções do sistema de memória de tradução. Além da interface, *Trados* e *Wordfast* assemelham-se por copiarem no *Word* uma série de macros, ou combinações de teclas que substituem sequências longas de comandos e que são usadas repetidamente na tradução do texto de origem. Um exemplo está na combinação entre as teclas Alt e ↓, para o *Wordfast*, ou Alt e +, para o *Trados*, que, simultaneamente, encerram um campo aberto de tradução, gravam a unidade de tradução formada na memória e abrem um novo campo para a tradução do próximo segmento. Quando a tradução é realizada com o auxílio do *Trados* ou do *Wordfast*, tem-se a impressão de que se está trabalhando somente com o *Word* modificado pela presença de dois painéis de cores diferentes que se abrem (um que hachura o texto de origem e outro que marca o campo para a inserção da tradução) e dos diferentes comandos acionados para aceitar uma sugestão da memória, ou para salvar a tradução e passar para o outro segmento, por exemplo.

Conforme dispõe o manual do *Trados*, o trabalho integrado entre o Translator's Workbench e o MultiTerm oferece reconhecimento automático da terminologia durante a tradução. O gerenciador da memória *MultiTerm* mantém-se visível e exibe as unidades de origem e destino e permite que a elas sejam adicionadas informações gramaticais ou contextuais relevantes. Já o *Translator's Workbench* tem a função de comparar o trecho do texto de origem a ser traduzido com o conteúdo do banco de dados do *MultiTerm* em busca de coincidências que, quando se confirmam, são inseridas por esse aplicativo no campo da tradução.

A pesquisa por co-ocorrências na memória do *Trados* é feita com base nas regras estabelecidas para a segmentação das unidades de tradução, que compreendem um segmento do texto de origem e um segmento de sua respectiva tradução pareados. Conforme informado no manual do usuário do *Trados*, o *Translator's Workbench* toma por base os sinais de pontuação no texto a ser traduzido para determinar o início e o fim de cada segmento. As regras de segmentação podem ser configuradas pela opção *Setup* [configuração] do menu *File* [arquivo], como demonstrado na Figura 10.

Figura 10 – Configuração das regras para segmentação do texto a ser traduzido. Nesse caso, tem-se hachurada a regra *full stop* [ponto final] como marcadora de fim de segmento.

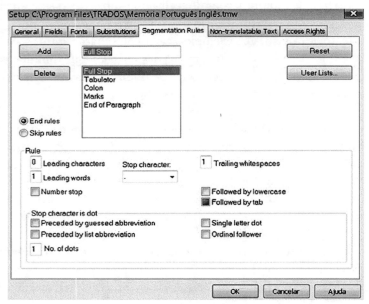

O *Trados* oferece dois tipos de regras para segmentar o texto, denominadas *end rules* [regras de finalização] ou *skip rules* [regras de salto]. As regras de finalização identificam sinais de pontuação, como ponto final, pontos de interrogação ou exclamação e até marcas de tabulação, como marcadores de limite de segmento. Já as regras de salto demarcam os caracteres que devem ser desconsiderados como limites de segmento, como o ponto e vírgula, que pode não encerrar uma frase. O tradutor pode adicionar outras marcas a cada uma dessas regras, dependendo da formatação do texto a ser traduzido e buscando o melhor desempenho de reconhecimento e recuperação de segmentos da memória com o qual trabalhará com o auxílio do *Trados*. Um exemplo está na regra de salto para pontos finais que sucedem abreviações, como Mr., Sr., U.S.A. e E.U.A. Esses pontos não indicam o final de uma frase, portanto não é conveniente ao tradutor que essas ocorrências sejam tratadas como segmentos.

Problemas de segmentação ocorrem quando as unidades segmentadas no texto de origem não se encontram diretamente correlacionadas àquelas do texto traduzido. Como já tratado no que se refere ao alinhamento, é possível que em traduções do português para o inglês, por exemplo, uma frase do texto de origem seja dividida em duas na tradução, ou vice-versa.

Tanto o *Trados* como o *Wordfast* dispõem de um recurso de concordância, que possibilita ao tradutor vasculhar a memória em busca de uma palavra selecionada no segmento de origem. Quando uma palavra ou expressão é demarcada no campo do texto de origem, o recurso *Concordance* [concordância] na barra de ferramentas do *Trados* exibe todos os segmentos da memória que apresentem conteúdo semelhante ou idêntico ao texto da busca. Esse recurso é útil, por exemplo, quando o tradutor deseja confirmar qual tradução foi dada para uma determinada expressão ou termo especializado em uma tradução por ele desenvolvida ou em casos de trabalho em equipe em grandes projetos de tradução. A Figura 11 apresenta duas das trinta unidades de tradução identificadas na memória por conterem a palavra "álcool", selecionada para busca com o recurso *Concordance* do *Trados*.

Além de organizar a pesquisa terminológica feita ao decorrer da tradução, o recurso do *Concordance* é considerado importante para revisão e manutenção do sistema de memória, minimizando as possibilidades de propagação de erros de tradução em extensos trabalhos desenvolvidos por equipes de tradutores. A memória de tradução exibida pode ser corrigida e atualizada na própria janela do *Concordance*.

O *Trados* é compatível com diversos formatos de arquivos, assim como o *Wordfast* e o *Transit*, a próxima ferramenta a ser analisada. Nos exemplos anteriormente discutidos para trabalho com o *Trados*, o arquivo para tradução foi apresentado em *Word* (extensão .doc). Atualmente, em especial devido à diversidade dos meios de comunicação e propagação de informações, o tradutor recebe arqui-

Figura 11 – O recurso *Concordance* exibe a palavra "álcool" hachurada em amarelo para facilitar a identificação e a comparação de sua tradução nos respectivos segmentos traduzidos.

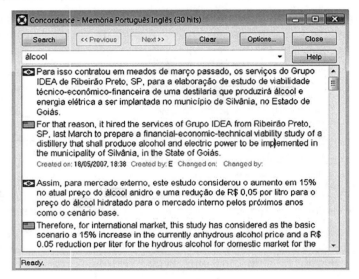

vos em formatos variados, que podem variar de páginas de internet (em extensões .html, .jsp, .inc) a arquivos de editoração eletrônica, como o FrameMaker[6] (em extensão .xml ou .sgml). Para textos com essas extensões, o *Trados* disponibiliza a ferramenta *TagEditor*, projetada para tradução e edição de textos com *tags* [marcadores especiais], que delimitam o início e o fim de um segmento e indicam suas formatações. De acordo com o manual do *Trados*, textos com marcadores auxiliam tanto a autoria quanto a tradução de textos, pois identificam elementos importantes do texto produzido, como um cabeçalho ou um parágrafo, com o objetivo de formatar, indexar e vincular as informações ao texto. A Figura 12 apresenta uma página eletrônica em formato .html para tradução com o *TagEditor*. A figura exibe como são apresentadas as informações de formatação e o texto entre elas:

---

6 Ferramenta de criação e publicação de documentação técnica e interativa em vários idiomas produzida pela empresa norte-americana de *software* Adobe.

Figura 12 – O TagEditor do *Trados* permite a visualização dos marcadores de formatação de texto.

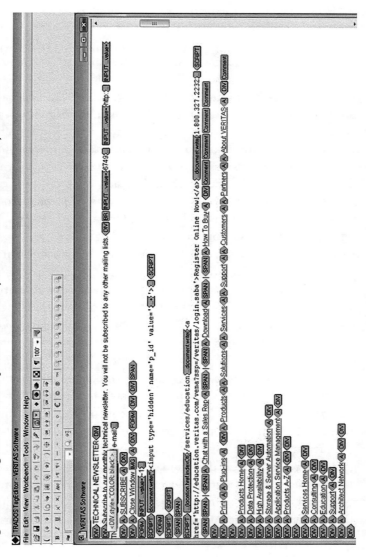

Os marcadores ocorrem antes e logo após o texto a ser traduzido para indicar o início e o fim de uma instrução de formato, respectivamente. O marcador de abertura indica o início do formato de um caractere (que pode estar em itálico, negrito, ou em outro formato) ou um elemento da estrutura do texto, como um cabeçalho. Como dispõe o manual do *Trados*, as informações contidas em cada marcador são essenciais para a integridade do texto, portanto o sistema tem como *default* a proteção de seus marcadores. Essa função de proteção impede que o tradutor, acidentalmente, apague ou realize alguma modificação nos marcadores que possa comprometer a formatação do texto final. Ao final de uma tradução, o *TagEditor* permite que o tradutor salve o arquivo traduzido em seu formato de origem pela opção *Save target as* [salvar alvo como] disponível no menu *File* [arquivo] para, antes da entrega do trabalho, poder revisar e corrigir possíveis problemas de formatação e, até, traduzir figuras ou outros textos não editáveis pelo *TagEditor*.

O fechamento de um campo de tradução, seja no ambiente do *Word*, seja no do *TagEditor*, automaticamente envia para a memória a unidade de tradução formada. A memória é constituída ou incrementada durante o trabalho de tradução ou, em trabalhos realizados sem o auxílio do *Trados* que podem servir como materiais de referência para outras traduções, há a opção de alinhamento de textos com o recurso *WinAlign*, sob as mesmas condições da ferramenta de alinhamento *Plus Align* do *Wordfast* de que os textos estejam em meio eletrônico e que apresentem estruturas textuais bastante semelhantes. A Figura 13 apresenta o processo de alinhamento com o recurso *WinAlign* do *Trados*:

A ferramenta *WinAlign* realiza o pareamento dos textos de origem e da tradução de modo automático e com base em informações de formatação, como marcas de pontuação que encerram segmentos, ou por quaisquer outras marcas preconfiguradas pelo tradutor. Terminada a operação automática de pareamento, o tradutor tem a opção de realizar ajustes no alinhamento, especialmente para os casos de omissão, inversão da ordem de frases ou outras modificações estruturais realizadas na tradução e que podem "confundir" o sistema automático.

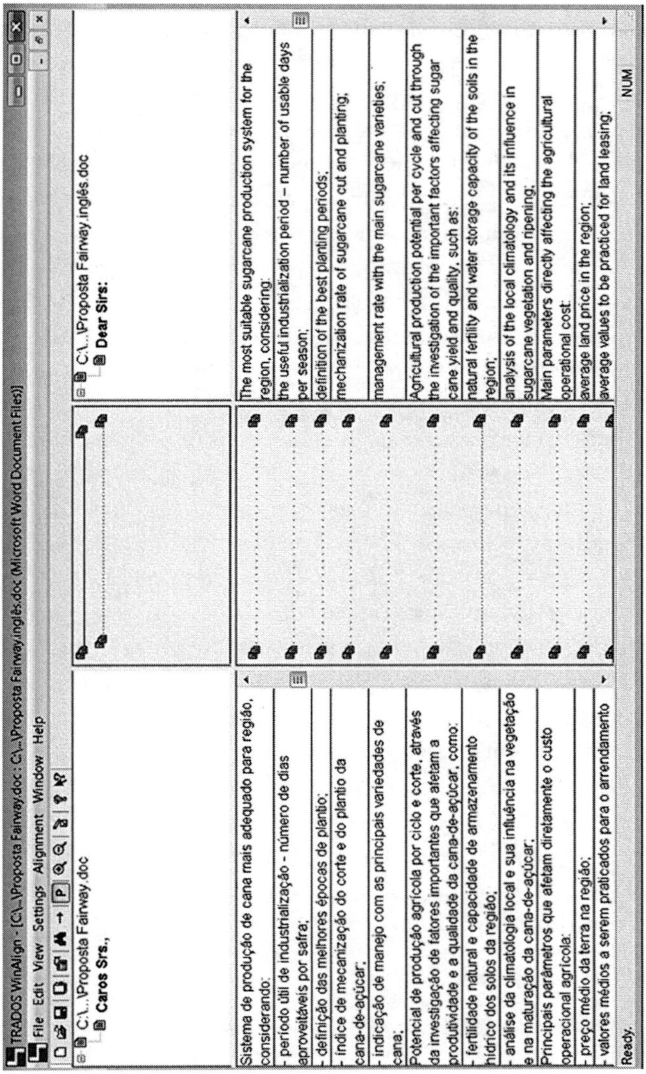

Figura 13 – Recurso de alinhamento *WinAlign* do *Trados* pareia texto de origem e tradução.

Uma das desvantagens do *WinAlign* está no fato de ele possibilitar somente que, na comparação entre os segmentos do texto de origem e de sua tradução, dois segmentos sejam unidos, mas nunca separados, o que torna difícil o alinhamento em casos em que o tradutor optou por traduzir uma frase no texto de origem por duas na tradução. Outra desvantagem de qualquer trabalho de alinhamento está no tempo exigido, que dependerá de como a tradução a ser alinhada foi produzida. Se, por exemplo, várias modificações tiverem sido feitas na elaboração do texto traduzido pelo tradutor, a tarefa de alinhamento deverá ser feita manualmente e, assim, despenderá muito tempo.

Ao terminar a tradução, alguns sistemas exportam os arquivos traduzidos para o formato original. O *Trados* e o *Wordfast*, por meio do comando *Clean Up*, removem o texto oculto (texto de origem) criado pelos programas durante o trabalho com a ferramenta, permitindo que só a tradução seja visualizada. Nessa etapa, também podem ocorrer problemas, como a permanência de alguns marcadores do sistema ou possíveis falhas de apagamento do texto oculto, que podem ser sanadas com a leitura e revisão final do texto.

Como no *Wordfast*, ao final de cada tradução, o *Trados* cria um arquivo com extensão .bak com o mesmo nome do arquivo de origem. Esses são arquivos de *backup*, isto é, cópias dos arquivos traduzidos, sem passar pelo processo de limpeza. A manutenção de uma cópia de segurança é útil nos possíveis casos de incompatibilidade ou outros problemas que qualquer sistema de memória pode apresentar durante uma tradução.

Feita a análise dos principais recursos oferecidos pelos sistemas de memórias *Wordfast* e *Trados*, passamos ao exame do sistema *Transit*, cuja principal diferença em relação aos sistemas anteriores está na maneira como compila e organiza sua memória de referência, conforme explico no próximo item.

A tradução com o *Transit* – a constituição e a função da memória de referência

O sistema de memória *Transit* foi concebido pela Star Group, uma empresa afiliada ao grupo Star AG, com sede na Suíça e voltada ao desenvolvimento de produtos e serviços para o trabalho com documentação multilíngue e sua distribuição internacional. O *Transit* é comercializado em três versões: *Transit* XV Professional, um sistema projetado com as funções exigidas especialmente por agências de tradução; o *Transit* XV *Workstation*, utilizado por tradutores que prestam serviços e se comunicam com seus clientes em redes; e o *Transit* XV Smart, versão para tradutores *freelancers* que trabalham localmente e enviam as traduções finalizadas diretamente para os clientes ou agências de tradução.

Diferentemente do *Trados* e do *Wordfast*, o *Transit* não possui um banco de dados terminológicos armazenado em um arquivo e previamente estabelecido em seu sistema, mas constitui o conteúdo de sua "memória de referência" a cada novo trabalho com essa ferramenta, a partir de arquivos de traduções ou trabalhos anteriores que, selecionados pelo tradutor, são incorporados pela ferramenta e passam a servir como fonte de pesquisa terminológica para um novo projeto de tradução.

O *Transit* destaca-se entre os demais sistemas justamente por dispensar a compilação de um banco de dados para seu funcionamento, utilizando, em seu lugar, textos de origem e suas traduções que, agregados ao sistema, são organizados e salvos em arquivos com o mesmo nome, mas diferentes extensões, que indicam as línguas envolvidas. Conforme o manual do usuário desse sistema, a organização da memória de referência constituiria um processo simples, que dispensaria o trabalho de manutenção de banco de dados por um especialista, facilitando a seleção do material especificamente a ser usado como fonte de consulta em um trabalho de tradução.

Escolhidos e preparados os arquivos para constituição da memória, o *Transit* estabelece uma rede associativa de referências entre os arquivos extraídos para consulta e possível recuperação. A vantagem principal dessa organização do material de referência está no fato de o banco de dados ser adaptado às necessidades imediatas de pesquisa do tradutor, o que pode reduzir as chances de a memória realizar pesquisas desnecessárias ou de recuperar opções que não sejam de interesse ou que não compartilhem do contexto da tradução em desenvolvimento.

Outra característica específica do *Transit* é a de que todos os materiais textuais de origem para ele transferidos para o trabalho tradução "perdem" o leiaute original durante o processo de importação e passam para o formato *Transit*. Ao final do trabalho, o arquivo traduzido recupera a formatação de origem quando exportado ou convertido para o formato inicial. A principal vantagem aludida no manual do usuário a respeito dessa particularidade estaria na preservação da formatação do texto de origem (uma vez que o formato do texto é preservado para recuperação quando terminado um trabalho), o que permitiria ao tradutor concentrar-se no trabalho com o texto, sem se preocupar com alguma modificação acidental da configuração do texto original.

Ainda durante o processo de importação, o *Transit* segmenta o texto a ser traduzido, compara-o com o conteúdo da memória de referência e, quando encontra correspondências, traduz automaticamente as ocorrências coincidentes, oferecendo ao tradutor, sempre que possível, um texto parcialmente traduzido no início do trabalho.

O sistema de memória *Transit* apresenta um editor de tradução próprio, mas, como prevê o manual, as janelas e os menus do sistema assemelham-se àqueles encontrados no processador de textos do *Word*, uma característica que procura facilitar o aprendizado dos recursos exibidos, uma vez que esse processador é bastante utilizado e conhecido por tradutores. A cada projeto de tradução, o tradutor realiza as configurações básicas no sistema, pelas quais são importados os arquivos a serem traduzidos e indicados os materiais de referência a serem consultados para reaproveitamento de traduções anteriores.

O *Transit* também conta com um gerenciador terminológico integrado ao sistema e que também serve de fonte de pesquisa terminológica para o tradutor. O *TermStar*, semelhantemente ao *MultiTerm* do *Trados*, permite a armazenagem de terminologia multilíngue e de outras informações, como referências gramaticais, definições detalhadas e ilustrações. A Figura 14 apresenta o *TermStar*, que trabalha juntamente com *Transit*, gerenciando a terminologia nele armazenada que serve como referência para traduções.

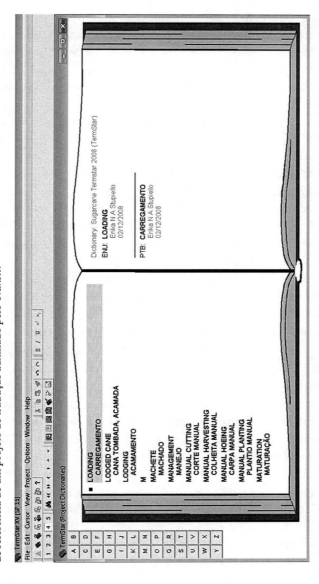

Figura 14 – Os dados armazenados no *TermStar*, programa de gerenciamento terminológico, podem integrar o material de referência de um projeto de tradução auxiliado pelo *Transit*.

O *Transit* oferece três opções para configuração do sistema para um trabalho de tradução: a criação de um projeto com base em configurações já existentes (em que o tradutor pode utilizar os mesmos arquivos de referência selecionados para trabalhos anteriores, assim como as mesmas regras de pesquisa na memória); a criação de um novo projeto (em que é necessário estabelecer as configurações iniciais, estabelecendo desde os pares de línguas envolvidos à seleção da memória de referência); e criação de um projeto de alinhamento (que permite a formação de uma memória de tradução a partir de arquivos anteriormente traduzidos em outros aplicativos, como o *Word*, por exemplo).

A interface do *Transit* pode exibir o texto de origem e a tradução de cinco maneiras diferentes. As Figuras 15 e 16 demonstram dois modos de exibição do texto de origem e da tradução, em que é possível visualizar as marcas de formatação dos dois textos, ou elaborar a tradução com os segmentos de origem organizados em pares, respectivamente.

As janelas de exibição do texto de origem e da tradução são sincronizadas; portanto, ao movimentar o cursor para um determinado ponto do texto de origem, o segmento correspondente é apresentado na janela da tradução, ainda com o texto de origem. Essa organização dos textos possibilita melhor acompanhamento do trabalho pelo cotejamento entre o texto de origem e a tradução em desenvolvimento. A inserir a tradução no campo determinado, o tradutor pode apagar o texto de origem que nele se encontra como orientação pelo comando *delete to the end of segment* [apagar até o final do segmento] na barra de ferramentas. Durante todo o trabalho de tradução, o sistema *Transit* realiza uma pesquisa na memória de referência nele armazenado e oferece sugestões de correspondência total ou parcial, sempre que disponíveis. O material que compõe a memória, como mencionado, pode ser composto por textos em arquivos digitais previamente alinhados, com o auxílio do recurso de alinhamento do *Transit*, ou por arquivos relacionados ao trabalho em desenvolvimento com textos de origem e suas respectivas traduções. A Figura 17 apresenta a janela de configurações da memória de referência:

Figura 15 – Interface do sistema *Transit* exibindo texto de origem (campo superior) e tradução (campo inferior). As duas caixas no canto inferior têm exibição opcional para os recursos do Termstar: um dicionário e controle do índice de correspondência parcial que, nesse caso, indica a inexistência dessas correspondências para o trabalho em progresso.

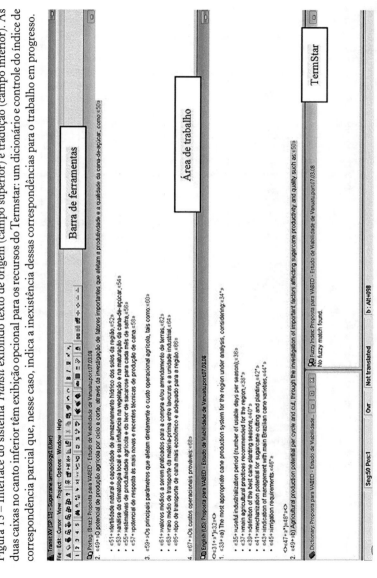

Figura 16 – Interface do sistema *Transit* exibindo os segmentos do texto de origem e tradução lado a lado. As barras de ferramentas do *Transit* exibem os ícones das funções mais utilizadas pelo tradutor, podendo a disposição dos mesmos ser alterada, da mesma forma que o arranjo das janelas do texto de origem e da tradução.

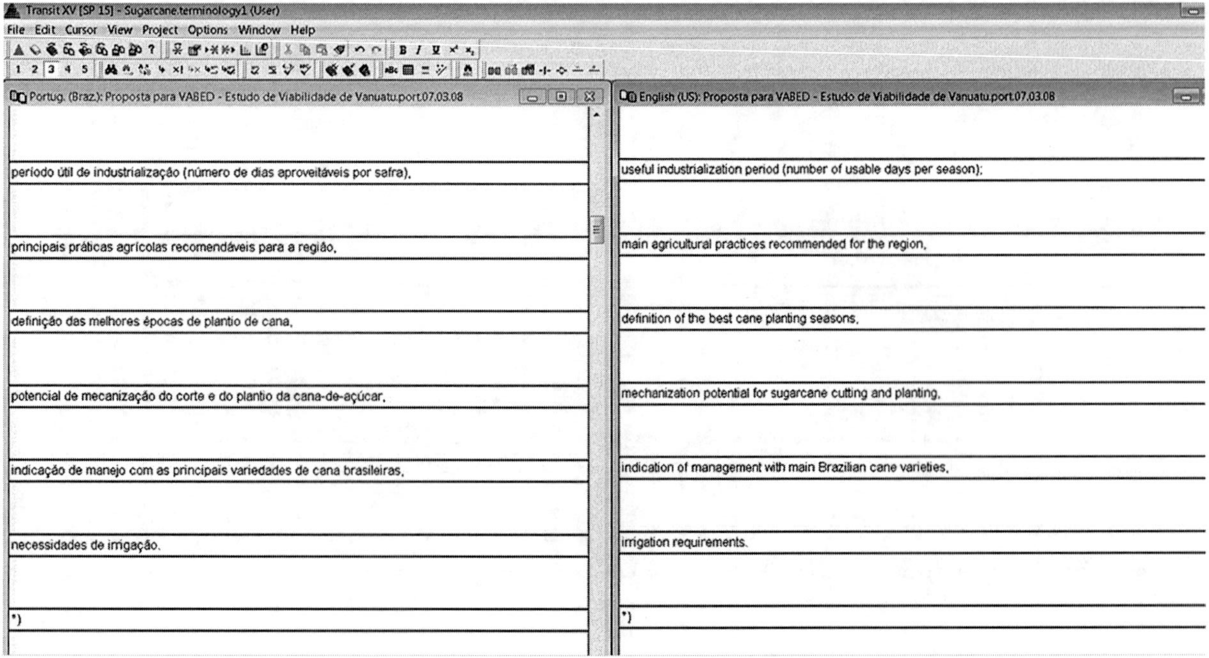

Figura 17 – Lista de arquivos de referência para um projeto de tradução com o *Transit*.

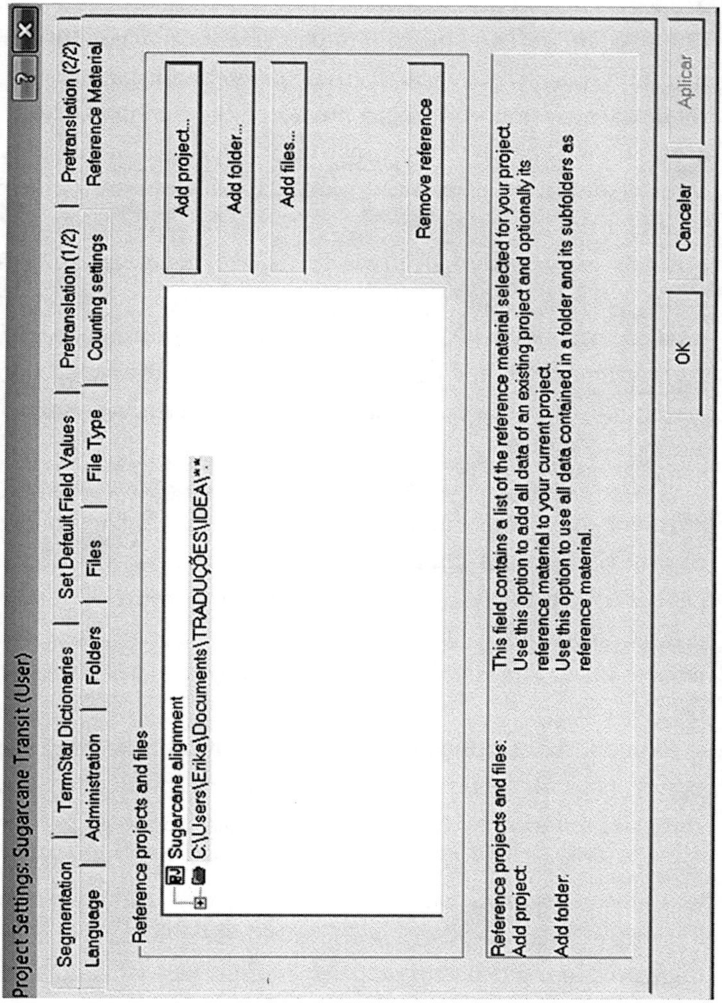

O gerenciamento dos arquivos que integram a memória de referência do *Transit* é realizado nos próprios arquivos indicados para compor a memória. Em uma análise comparativa dos sistemas *Trados* e *Transit* publicada no periódico *Localisaton Focus*, Hallett (2006, p.10) defende que o fato de o *Transit* não constituir uma memória fixa oferece a vantagem de manter a formatação originária dos arquivos utilizados na memória de referência. Conforme argumenta, uma memória constituída especificamente para um trabalho de tradução "permite que os erros descobertos na memória sejam corrigidos rapidamente no interior do editor do *Transit* XV sem a necessidade de aplicativos de edição e manutenção de base de dados". Assim, ao detectar uma incoerência ou erro de digitação em uma correspondência parcial apresentada pelo sistema, o tradutor pode, pelo comando *Open reference file* [abrir arquivo de referência], localizar pelo sistema o arquivo do qual a correspondência foi extraída e nele efetuar a correção.

Além da agilidade de pesquisa, as alterações feitas nos próprios arquivos que compõem a memória de referência não oferecem o risco de se corromperem durante o uso. Por outro lado, a eficácia da pesquisa realizada pelo *Transit* depende diretamente da localização dos arquivos a serem consultados e da correta configuração, no sistema, daqueles que o tradutor considera adequados a serem usados para consulta.

Concluída a tradução, o *Transit* disponibiliza a função *source export* [exportar fonte], pela qual o tradutor exporta o texto traduzido para seu formato de origem, com todas as marcas de formatação preservadas. Nessa etapa, o *Transit* elimina do texto traduzido todos os marcadores de segmentação utilizados durante o trabalho e realiza a revisão ortográfica do texto traduzido, de acordo com a língua configurada para o processo de exportação. Como lembra o manual do usuário do *Transit*, esses recursos não dispensam a revisão da tradução pelo tradutor ainda que seja preservada a estrutura textual de origem, uma vez que o texto de origem e a tradução quase sempre possuem tamanhos diferentes.

Wordfast, Trados e Transit em perspectiva

Este capítulo examinou as principais aplicações dos sistemas *Wordfast, Trados* e *Transit* na realização de um trabalho de tradução. Embora a interface de cada sistema estudado não esteja diretamente relacionada às diversas funções por ele desempenhadas, ela parece constituir um dos fatores decisivos na escolha de um sistema de memória. Sistemas que têm sua interface de trabalho em editores de texto como o *Word* (*Wordfast* e *Trados*) costumam ter uma aceitação maior, por ser este aplicativo mais conhecido pelos tradutores. Por outro lado, um sistema que adota interface própria, como o *Transit*, embora possa requerer um tempo maior de aprendizado, não sofre as limitações de compatibilidade entre os arquivos a serem traduzidos e a plataforma que sustenta o sistema de memória.

Sistemas de memórias de tradução como o *Wordfast*, o *Trados* e o *Transit* são atualmente comercializados com atrativos de promessas de recuperação rápida de trabalhos anteriores pelo reaproveitamento de trechos recorrentes de traduções, de economia de tempo e recursos financeiros pela dinamização da produção tradutória, de maior padronização terminológica pelo controle da terminologia e fraseologia em bancos de dados e de possibilidade de intercâmbio de bancos de dados entre tradutores. Essas possíveis vantagens são, com frequência, generalizadas e consideradas válidas para os tipos de textos em que as memórias são utilizadas como ferramenta de auxílio. Entretanto, como lembra Austermühl (2001), a eficiência das memórias de tradução estaria diretamente ligada a três parâmetros que, inter-relacionados, determinariam o grau de produtividade que poderá ser alcançado na tradução: tipo de texto, grau de repetições e a extensão do trabalho a ser traduzido. O primeiro e o segundo condicionantes delimitam a aplicação das memórias a textos considerados do domínio técnico que, por discorrerem sobre uma determinada área de especialidade, tenderiam, segundo o autor, a apresentar um alto índice de repetições tanto no texto em si (denominadas "repetições internas") e também em versões posteriores desses textos (designadas "repetições externas"). Com relação à extensão, Austermühl (2001, p.139) afirma que grau de repetição textual tende a ser maior em materiais extensos, pois, "quanto mais longo o documento, maior a chance de repetição ou reutilização de frases semelhantes".

Outra questão relacionada ao aludido desempenho das memórias diz respeito à superficialidade da pesquisa conduzida por esses sistemas. Embora sejam comercializados como uma "solução rápida" para a pesquisa terminológica, em especial quando o prazo é inversamente proporcional à extensão do material a ser traduzido, eles podem também ser uma influência negativa ao tradutor. Segundo o ensaio "What's been forgotten in translation memories" [O que foi esquecido nas memórias de tradução] por Macklovitch e Russell (2000), pesquisadores canadenses, traduções anteriores de textos de um mesmo domínio do conhecimento podem apresentar mais problemas de tradução do que qualquer outro recurso de pesquisa. Conforme argumentam,

apesar da recepção entusiasmada conferida à tecnologia das memórias de tradução por tradutores e prestadores de serviços de tradução, pode-se imaginar que certos usuários sentem-se, ainda assim, frustrados com os sistemas existentes devido justamente à relativa raridade de repetições de frases inteiras no volume de textos que traduzem, e por estarem convencidos, além disso, de que seus arquivos contêm muito mais informações úteis no nível da subfrase que não estão sendo exploradas por esses sistemas. (Macklovitch; Russell, 2000, p.139)

A questão da repetição na denominada subfrase, referência ao interior de uma unidade de tradução, é também apontada por Heyn (1998) como sendo uma limitação das memórias. Além disso, o reconhecimento da existência de semelhança entre duas frases facilmente identificadas por um tradutor pode, por exemplo, ser uma tarefa difícil de ser realizada de modo automático por um sistema de memória. Uma vez que um texto pode conter erros de ortografia, diferenças de formatação, diferenças no uso de pontuação ou diferenças morfossintáticas podem influenciar o desempenho esperado da memória.

Em tese apresentada à Universidade Estadual de São Francisco (Califórnia), Lynn Webb (1998) discute a relação custo-benefício da utilização de programas de memória de tradução e propõe algumas considerações a serem feitas pelo tradutor para determinar o emprego economicamente eficaz desses programas. A primeira delas concerne ao tipo de projeto de tradução, ou seja, se o mesmo é um trabalho para ser desenvolvido individualmente ou em grupo. Conforme explica Webb, problemas com padronização terminológica em trabalhos extensos envolvendo um grande número de tradutores podem ser amenizados pela possibilidade de controle das opções empregadas nos bancos de dados compartilhados pela equipe. O segundo ponto a ser levado em conta é o tipo de formato em que o material se encontra (digitalizado ou não) e a que domínio do conhecimento ele pertence. Webb apresenta a mesma constatação de Austermühl (2001), de que textos tidos como técnicos e de grande extensão tenderiam a ser mais apropriados ao emprego de memórias. Por outro lado, chama a atenção para o fato de que os esperados ganhos de produtividade requerem tempo para se concretizarem e que dependem diretamente da qualidade da produção da "primeira versão" de um texto armazenado na memória, uma vez que:

armazenar uma nova tradução na memória pode também levar mais tempo do que o processo convencional de tradução, porque a primeira versão é crucial. Qualquer trabalho futuro feito no banco de dados da memória dependerá do que foi armazenado no início. A pós-edição é também afetada pela qualidade da primeira versão. Um banco de dados terminológicos também pode requerer tempo adicional para ser desenvolvido. (Webb, 1998, p.20)

Constata-se, também pela demonstração feita com os sistemas analisados, que os sistemas de memória não são, logo de início, uma solução economicamente eficaz, justamente por constituírem ferramentas que não oferecem ganhos de antemão e necessitam ser desenvolvidas pelo tradutor, pelo acréscimo de segmentos de tradução pareados com o original ao banco de dados terminológicos. Todavia, a adoção desse tipo de ferramenta pelo tradutor pode ser um meio de controlar, e até mesmo abater, a remuneração paga pelas traduções realizadas com essa ferramenta, segundo a visão de muitos clientes que contratam trabalhos de tradução e que conhecem os recursos de que dispõem as memórias.

A prática de redução de preços de tradução realizada com memória desvaloriza o aprimoramento da qualidade da produção final, conforme atestam os próprios tradutores que empregam esses programas (Rieche, 2004). Conforme argumento no Capítulo 3, essa prática também reflete uma visão reducionista acerca do trabalho de tradução, especialmente ao reforçar a ideia de que a base do trabalho do tradutor consiste na recuperação de termos em uma língua e em sua transferência para a língua da tradução.

As memórias de tradução mantêm em sua base de dados pares formados por segmentos de texto, em geral frases, da língua do texto original e da tradução. Conforme o tradutor desenvolve um novo trabalho, previamente dividido pelo próprio sistema de memória, cada segmento a ser traduzido é consultado de modo automático na base de dados em busca de ocorrências equivalentes. Quando o sistema encontra, no novo trabalho, um trecho semelhante àquele armazenado no sistema, a opção de tradução para o mesmo é recuperada, podendo ser aceita e incorporada à tradução, ou, se o tradutor assim decidir, modificada e até desconsiderada. A vantagem aclamada pelos fabricantes dos sistemas de memória seria a de dispensar o tradutor da tarefa de ter que traduzir o mesmo segmento duas vezes. Entretanto, como discuto no próximo capítulo, a determinação precisa e universal do que constitui uma "correspondência exata" para o sistema de memória é bastante questionável, especialmente se considerarmos que a pesquisa por correspondentes de tradução não apresenta capacidade de analisar nenhum componente semântico do conteúdo da memória, sendo, em geral, feita automaticamente por meio de marcas formais, como identificação de número de caracteres e outras marcações, entre as frases e os segmentos armazenados no banco de dados de cada sistema.

Outra questão analisada no próximo capítulo diz respeito aos bancos de dados terminológicos compilados majoritariamente a partir de traduções anteriores e refere-se à medida que a importação de termos e segmentos textuais já empregados, ainda que um "grau de semelhança imperfeito" (*fuzzy threshold*), não estaria promovendo a ideia de que os contextos seriam estáveis e permutáveis.

Por fim, de uma perspectiva ética, desenvolvo uma reflexão sobre os limites da responsabilidade do tradutor pelas escolhas a que é conduzido a realizar ao ser influenciado sempre que recebe de antemão uma terminologia pronta em um banco de dados ou um texto parcialmente traduzido para o trabalho com o auxílio dos sistemas de memória. Essas questões, que almejam fomentar a discussão sobre as implicações das ferramentas de auxílio à tradução para a prática tradutória, são abordadas no próximo capítulo.

3
SISTEMAS DE MEMÓRIAS DE TRADUÇÃO: IMPLICAÇÕES ÉTICAS PARA A PRÁTICA TRADUTÓRIA

> *"A perspectiva pós-moderna oferece mais sabedoria; a situação pós-moderna torna mais difícil agir segundo essa sabedoria. É mais ou menos essa razão pela qual o tempo pós-moderno é experimentado como viver no meio da crise."*
>
> (Bauman, 2003)

O discurso de caráter ético em tradução tem se pautado, em diferentes épocas e pela perspectiva da tradição ocidental,[1] pelo estabelecimento de um conjunto ideal e universalmente aplicável de regras que delimitem o espaço de atuação do tradutor no trabalho de recuperação de sentidos determinados no texto de origem. Desde as remotas prescrições do humanista francês Etienne Dolet (1540), a tradução tem sido descrita como uma atividade dependente do estabelecimento de normas que, idealmente, dariam conta de determinar uma conduta específica para o trabalho do tradutor, fato

---

1 Segundo Lefevere (1992, p.6-7), o pensamento ocidental sobre tradução, da época da república romana até as primeiras publicações de cunho linguístico por Nida e Fedorov na década de 1930, seria caracterizado por uma forte inclinação normativa, restringindo o trabalho de tradução em termos de preceitos e categorizações do tipo "certo", "errado", "fiel" ou "livre".

que tem reflexos, até os dias de hoje, na forma como grande parte da sociedade concebe sua profissionalização. Dos "princípios" estabelecidos por Pym (1997) para uma ética do tradutor, a propostas mais recentes, como o "juramento" de Chesterman (2001), ou mesmo códigos de ética profissionais locais, como o Código do Sintra no Brasil, o que se busca é um comprometimento ético pelo tradutor que seja guiado por valores generalizantes que, como se pretende analisar, não compreendem as diversas situações vividas pelo tradutor contemporâneo.

Este capítulo apresenta uma reflexão sobre como algumas posturas associadas ao pensamento tradicional em relação à tradução afloram, ainda que implicitamente, nas expectativas de conduta para a prática contemporânea. Conforme demonstrado nos capítulos anteriores, os sistemas de memórias de tradução constituem ferramentas que melhor receptividade encontraram em meio aos tradutores que trabalham para a indústria de localização ou que prestam serviços em domínios especializados do conhecimento, como na tradução de manuais técnicos e outros textos que acompanham produtos comercializados em diferentes países. Com base na análise dos recursos disponibilizados por essas ferramentas, propõe-se um exame da extensão da responsabilidade do tradutor quando esse integra um processo maior de produção e distribuição de informações para públicos situados nos mais diversos locais do mundo, falantes de diferentes línguas e representantes de uma vasta diversidade cultural.

Em uma era em que "tempo e espaço foram de tal modo comprimidos pelos satélites de telecomunicações e pelos meios eletrônicos, [...] que o tempo tornou-se sinônimo de velocidade e o espaço, sinônimo da passagem vertiginosa de imagens e sinais" (Chauí, 1992, p.347), o papel mediador do tradutor na comunicação de materiais textuais circulados eletronicamente é encoberto na mesma medida em que aumenta a ênfase na imprescindibilidade da adoção e do domínio dos recursos das novas tecnologias de auxílio à tradução para atender às exigências de tempo e prazo do mercado global. As mudanças na forma como a comunicação se realiza, conforme descritas por Chauí, implicam um aumento na invisibilidade do tradutor, visto que a intervenção humana na tradução da comunicação entre diferentes línguas parece ser incongruente em uma era considerada global. O esquecimento do caráter humano envolvido na tradução é uma das consequências da superioridade conferida às ferramentas tecnológicas, em especial em sua capacidade de tornar o trabalho do tradutor mais rápido e preciso.

A ênfase está na urgência da comunicação multilíngue; assim sendo, empregar com eficiência ferramentas eletrônicas, como as memórias de tradução apresentadas no Capítulo 2, torna-se uma exigência para o tradutor que presta serviços a segmentos como o da indústria de localização. A obtenção do desempenho esperado para essas acarreta necessariamente a observância de regras predefinidas para o trabalho com o texto, de forma que a conclusão de uma tradução promova o desenvolvimento de trabalhos futuros, em que trechos de textos traduzidos tornem-se úteis para aumentar o rendimento do tradutor, reduzindo, desse modo, custos e prazos. A aplicação dessas práticas de trabalho em tradução também é favorecida pela constituição da comunicação textual no mundo contemporâneo, em que

em lugar da linguagem como rede de significantes e significados, signos e significações, haveria "jogos de linguagem" sem sujeito, e a comunicação seria feita por uma "nuvem de elementos narrativos", por séries de textos em intersecção com outros, produzindo novos textos nas instituições e fora delas. (Chauí, 1992, p.347)

Os textos eletrônicos que circulam pela internet são, em sua maioria, disponibilizados em versões em duas ou mais línguas e desprovidos de qualquer referência autoral. A partir de um texto eletrônico é possível acessar outros textos por meio de elos (*links*) automáticos, que conduzem o usuário a realizar várias leituras, porém sem qualquer indicação clara de início ou fim. Essas características promovem a ilusão da possibilidade de produção e circulação de textos sem qualquer vínculo com seus autores e tradutores e, por extensão, sem nenhum compromisso com o que é veiculado.

No caso específico da tradução, essa situação evidencia-se na própria divisão dos vastos projetos atualmente traduzidos em prazos sempre inversamente proporcionais à extensão e, por vezes, à complexidade dos textos. Para possibilitar a produção e a rápida circulação de informações em diferentes línguas, é comum a divisão dos trabalhos em equipes de tradutores que, situados em vários locais, recebem textos ou partes de textos extensos, muitas vezes parcialmente traduzidos e acompanhados por glossários para garantir a padronização dos trabalhos. Para textos de origem que carecem de referência autoral, é comum a expectativa de fidelidade, por parte do contratante, atrelar-se ao conteúdo dos dados terminológicos e fraseológicos cedidos com o propósito de guiarem as escolhas do tradutor. No contexto contemporâneo, a preocupação do contratante de uma tradução não se restringe à qualidade do produto final, tampouco à adequação dessa produção aos recursos oferecidos pelos sistemas de memórias para alcançar opções de tradução padronizadas e reaproveitáveis.

A consecução desse objetivo depende da aplicação de regras preestabelecidas de trabalho com o texto em conjunto com os sistemas de memórias. Essas regras visam manter o controle das opções e da elaboração da tradução pelo tradutor e em parte relembram algumas das prescrições outrora estabelecidas para regular a prática. O próximo item problematiza a aplicabilidade de preceituações relacionadas ao pensamento tradicional sobre tradução e de proposições éticas para a prática contemporânea de tradução.

A relatividade de proposições éticas ante a aparente invisibilidade tradutória contemporânea

À primeira vista, a situação atual que se descreve para a prática de tradução de textos em meio eletrônico e para a indústria da localização parece não relembrar as posturas que contemplam, acima de tudo, o estabelecimento de normas para a condução e a avaliação do trabalho do tradutor. Se voltarmos ao passado, ainda que brevemente, vemos que muitas das teorias que invocavam o critério de fidelidade incondicional em tradução fundamentavam--se no estabelecimento de "regras" para a atitude do tradutor diante de um consagrado autor estrangeiro e da superioridade do texto de origem. Um exemplo bastante conhecido nos estudos sobre tradução são as preceituações de Dolet (1540), considerado por Bassnett (1980) um dos primeiros teóricos a formular uma teoria de tradução regida pela ética do dever. Em sua relação dos cinco princípios para uma boa tradução, Dolet simboliza o pensamento de sua época por defender, sobretudo, a imprescindibilidade de um entendimento perfeito do texto de origem pelo tradutor, uma vez que o sentido já estaria incrustado na fonte à espera de ser restituído em outra língua. Por esse prisma, a postura ética do tradutor adviria da subserviência a regras que projetavam sobremaneira a imagem da tradução como uma simples reprodução de um conteúdo definido.

A ordenação de Dolet, e de muitos de seus sucessores como, por exemplo, Tytler (1978)[2] e seus "princípios" definidores de uma "boa tradução", sintetizam, segundo Arrojo (1997, p.6), aquilo que o "senso comum" e grande parte das teorias correlatas sobre tradução há anos têm defendido como "princípios éticos" para o tradutor, fundamentadas na crença da

possibilidade de elaborar uma ética geral que pudesse ser implementada universalmente, abrangendo todas as atividades de tradução, independentemente das línguas, e dos interesses ideológicos, culturais, políticos e históricos e das circunstâncias envolvidas.

À luz das reflexões de cunho pós-estruturalista, propostas de estabelecimento de *uma* ordenação ética totalizadora e aplicável à diversidade de situações de trabalho do tradutor são questionadas e desaprovadas por "revelarem um código de ética que está indiscutivelmente associado aos interesses e valores que os produzem

---

2 A primeira proposta de Tytler foi publicada em 1791. A leitura para esta obra baseia-se na edição de 1978, publicada pela John Benjamins.

e os tornam possíveis" (ibidem, p.16). Cada norma ou prescrição, ainda que suavizada como "orientações" de um manual de usuário, reflete a imagem da tradução em um determinado tempo e lugar, assim como a expectativa de que a obediência a esses preceitos garantiria a qualidade do trabalho final.

Para Pym (1997), o estabelecimento de normas de conduta do tradutor seria uma tentativa de impor responsabilidade sobre o trabalho que realiza, além de uma forma de promover a consecução da tradução, como idealizada, pela submissão a determinadas regras. Conforme explica,

> governar as relações de modo prescritivo significa, acima de tudo, determinar o que os outros têm o direito de exigir do tradutor: fidelidade, exatidão, rapidez, preços razoáveis, solidariedade em relação aos outros tradutores, respeito ao segredo profissional. Esses princípios relacionais constituem um tipo de pensamento ético. Eles estabelecem o que o tradutor deve ou não fazer. (Pym, 1997, p 68)

Idealmente, um tradutor capaz de se adequar e seguir as regras de conduta a ele determinadas seria, na visão de quem as prega, "um tradutor altamente profissional, um produto puro dos códigos da profissão" (ibidem). Seria também pela imposição de normas de conduta profissional que o contratante de uma tradução teria a possibilidade de controlar o processo de forma atingir o produto por ele almejado. Como afirma Chesterman (2001, p.141), o estabelecimento de normas seria uma forma de buscar o atendimento de expectativas determinadas, sendo tais normas

> geralmente aceitas (em uma cultura específica) na medida que parecem servir valores prevalecentes, inclusive valores éticos como verdade e confiança. Comportar-se de maneira ética, desse modo, significa comportar-se da maneira esperada, de acordo com as normas, não surpreendendo o leitor ou o cliente.

De acordo com Pym (1997) e Chesterman (2001), a postura ética do tradutor adviria de sua adoção da conduta desejada por quem a prescreve. Preceituar o fazer tradutório seria uma forma de fixar uma determinada maneira de o tradutor trabalhar, conforme a imagem idealizada especialmente sobre o produto desse trabalho, a tradução. Essa imagem é descrita por Pym ao relacionar a produção tradutória a um "processo de fabricação", do qual se espera resultar um produto acabado, um "text achevé", pois, como questiona o próprio autor:

> para traduzir plenamente, isto é, para ocupar o espaço próprio do tradutor, deve-se produzir traduções, objetos acabados, concluí-dos. Afinal, sem objeto, sem tradução material, sem realização, sem trabalho cumprido, pelo que o tradutor será responsável? (Pym, 1997, p.74)

A expectativa do contratante de uma tradução é a de que o texto a ser traduzido expressará todo o conteúdo do texto de origem, e é essa a responsabilidade que se impõe ao tradutor. Para Pym, no momento em que o tradutor aceita realizar um trabalho, ele já se tornaria responsável pelo produto final. Esse é o primeiro princípio para uma ética do tradutor proposta por esse teórico a partir do questionamento "Faut-il traduire?" [Deve-se traduzir?]. Sua decisão de realizar uma tradução ou deixar de fazê-la estabelece, como segundo princípio, a medida da responsabilidade tradutória, ou seja, o tradutor é responsável na medida em que aceita e se dispõe a traduzir. Como defende, "o tradutor não é diretamente responsável pela matéria a ser traduzida, pelas normas da tradução" (Pym, 1997, p.136).

Como terceiro princípio, o autor determina que os "processos tradutórios não devem ser reduzidos à oposição entre duas culturas" e que a ética do tradutor "deve ser rigorosamente intercultural" (ibidem). Observa-se nesse preceito uma postura que idealiza a neutralidade das relações que se constroem entre duas línguas pela tradução, assim como a possibilidade de o tradutor realizar seu papel de mediador, mantendo-se imparcial em seu trabalho com diferentes línguas e culturas.

Por quarto princípio, Pym defende que "os gastos de recursos suscitados pela tradução não devem ultrapassar o valor dos benefícios da relação intercultural correspondente" (ibidem), sendo o esforço investido na tradução tão importante quanto seu resultado. No quinto e último princípio, o teórico assevera ser responsabilidade do tradutor "contribuir para estabelecer a cooperação intercultural estável e em longo prazo" (ibidem, p.137).

Enumerada em cinco máximas, a ética do tradutor de Pym busca favorecer a cooperação entre o tradutor e seu cliente. Acima de tudo, o "tradutor ético" por ele vislumbrado seria aquele que avalia a finalidade da tradução para decidir o que e como traduzir, de forma a maximizar a colaboração com o cliente.

Atribuir ao tradutor a responsabilidade pelo produto de seu trabalho, ainda que esse seja caracterizando como um ato de cooperação para a realização da comunicação, pode parecer ser uma forma de legitimar a profissão, pela escolha feita pelo tradutor de traduzir ou não um texto ou parte dele. Pym (1997, p.97) parece instaurar um paradoxo entre o tradutor soberano que vislumbra, responsável por suas escolhas (até mesmo pela opção de não traduzir), e aquele que se subordina a relações de diversas ordens como "as coisas, as orientações do cliente, as normas em vigor que se aplicam à tradução, suas próprias condições de trabalho". Entretanto, esses condicionantes não são levados em consideração em seus princípios éticos, que se atêm a atrelar a responsabilidade tradutória à promoção da comunicação entre línguas e culturas, deixando de considerar os limites dessa responsabilidade em relação à diversidade de condições impostas ao tradutor em seu trabalho. Na visão de Godard (2001, p.57), a proposta de Pym seria de cunho instrumentalista e falharia por sua abordagem generalizante, na medida em que "persegue uma ética para todas as modalidades de tradução, independentemente de seus conteúdos".

A prática de tradução como um ato de cooperação com o intuito de promover o entendimento fundamenta também a reflexão de Chesterman (2001, p.141), que atribui ao tradutor a tarefa principal de perseguir a compreensão entre as culturas, pelo "entendi-

mento de textos, mensagens, sinais, intenções, significados, etc.".
Cuidadoso em relativizar a noção de "entendimento" que prega,
Chesterman defende que "entender uma tradução significa chegar
a uma interpretação compatível com a intenção comunicativa do
autor e do tradutor (e em alguns casos também do cliente) a um
grau suficiente para um determinado fim" (ibidem, p.141).

A postura ética do tradutor de Chesterman seria regida por uma
proposta de um "juramento hieronímico", em referência a São Je-
rônimo. Formulada com base no juramento hipocrático, a lista com
os princípios elencados por esse teórico é valorizada como uma
forma de "fortalecer o credenciamento internacional de tradutores"
(ibidem, p.152). O comprometimento do tradutor com o próprio
juramento encabeça a lista, que abrange valores como verdade,
clareza, lealdade, e confiabilidade:

1. Juro preservar este Juramento com o melhor de minha capacidade e de meu julgamento. [Compromisso]

2. Juro ser um membro fiel da profissão dos tradutores, respeitando
sua história. Estou disposto a compartilhar meus conhecimentos
com os colegas e transmiti-los a tradutores em treinamento. Não
trabalharei por honorários ilegítimos. Sempre traduzirei com o
melhor de minha capacidade. [Lealdade à profissão]

3. Usarei meus conhecimentos para maximizar a comunicação
e minimizar desentendimentos entre barreiras linguísticas.
[Entendimento]

4. Juro que minhas traduções não representarão seus textos de origem de maneiras injustas. [Verdade]

5. Respeitarei meus leitores tentando tornar minhas traduções o
mais acessíveis possível, de acordo com as condições de cada
trabalho de tradução. [Clareza]

6. Comprometo-me em respeitar os segredos profissionais de meus
clientes e não tirar proveito dessas informações. Prometo respeitar prazos e seguir as instruções dos clientes. [Confiabilidade]

7. Serei honesto sobre minhas próprias qualificações e limitações.
Não aceitarei trabalho que não seja de minha competência.
[Honestidade]

8. Informarei meus clientes sobre problemas não resolvidos, e estou de acordo em resolver casos de controvérsia por meio de arbitragem. [Justiça]

9. Farei tudo o que puder para manter e aprimorar minha competência, inclusive todo o conhecimento e as habilidades linguisticas, técnicas e outros. [Empenho pela excelência]. (Chesterman, 2001, p.153)

A ética defendida por Chesterman fundamenta-se no compromisso assumido pelo tradutor em "fazer a coisa certa", ao empenhar-se ou, pelo menos, prometer se empenhar, em pôr em prática uma série de atitudes, que vão desde a lealdade à profissão ao contínuo esforço pelo aprimoramento profissional, e culminam na concepção de um profissional digno de confiança. Subjacente aos valores listados estaria a capacidade de entendimento, uma vez que o tradutor digno de confiança teria condições de entender a mensagem do texto que traduz; afinal, como defende o teórico, "para o tradutor, essa é naturalmente uma tarefa primária: entender o que o cliente quer, entender o texto de origem, entender o que se espera que os leitores entendam" (Chesterman, 2001, p.152).

Em relação às prescrições de Dolet (1540) e Tytler (1978), é nítida em Chesterman a mudança de abordagem no que diz respeito à intenção de prever e controlar o trabalho do tradutor. Os primeiros teóricos citados apoiaram-se em regras e normas específicas com o intuito de reger e limitar a interferência do tradutor no texto de origem. Suas ordenações visavam impelir o tradutor a se prender à reprodução do conteúdo de origem e se manter subserviente ao texto e ao autor. A concepção de ética por eles sustentada estava diretamente relacionada à noção de fidelidade à origem.

Nas máximas apresentadas por Pym (1997) e no juramento de Chesterman (2001), temos por característica comum a generalidade na expressão das proposições dos autores. Ambos os teóricos atrelam suas propostas à pressuposição de responsabilidade do tradutor por seu trabalho. Nas palavras de Pym (1997, p.67), "se o tradutor não fosse responsável, se não tivesse que aceitar a responsabilidade por nenhuma de suas escolhas, não teria nenhum problema de ordem ética". A adoção de um discurso abrangente constitui um aspecto bastante comum em princípios qualificados como éticos, especialmente pelo fato de terem por objetivo primário guiar e orientar a conduta de uma determinada prática, sejam eles usados em um discurso normativo, como o postulado por Dolet, sejam expostos em forma de axiomas ou juramento, como propõem Pym e Chesterman, respectivamente.

O tratamento da ética por Chesterman, por exemplo, que substitui o ato de "dever" pelo de "prometer", abrange as relações com o contratante de uma tradução, entre tradutores e do tradutor consigo, em seu empenho pelo constante aprimoramento. Seu foco é o tradutor inserido em sua prática e não mais a aspiração pela neutralidade de sua prática. Ainda assim, vemos que, apesar de almejar a generalização de qualidades universalmente desejadas e consideradas nobres em qualquer profissional, valores (expressos entre colchetes) como compromisso, lealdade, verdade, clareza, honestidade e confiabilidade parecem se dispersarem pela própria forma como o trabalho do tradutor é concebido e contratado e nas situações em que esse profissional desempenha seu trabalho em mercados como o da localização, orientado pela divisão de tarefas entre tradutores atuantes em diferentes locais do mundo e cujos trabalhos são orientados por ferramentas como os sistemas de memórias de tradução.

Essa configuração pode ser uma questão problemática se considerarmos o único código de ética que determina os princípios para a conduta de trabalho do tradutor profissional no Brasil. A responsabilidade profissional, prevista no Capítulo V, e o respeito ao trabalho confiado, o texto de origem, constituem máximas do Código de Ética do Tradutor adotado pelo Sindicato Nacional de Tradutores do Brasil (Sintra), conforme determinam os princípios do referido código elencados a seguir:

CAPÍTULO I
Princípios Fundamentais
Art. 1º São deveres fundamentais do tradutor:

§1º respeitar os textos ou outros materiais cuja tradução lhe seja confiada, não utilizando seus conhecimentos para desfigurá-los ou alterá-los;

§2º exercer sua atividade com consciência e dignidade, de modo a elevar o conceito de sua categoria profissional;

§3º utilizar todos os conhecimentos linguísticos, técnicos, científicos, ou outros a seu alcance, para o melhor desempenho de sua função;

§4º empenhar-se em participar da tomada de decisões do seu órgão de classe e em vê-las acatadas, em particular no que se refere à remuneração justa, às condições de trabalho e ao respeito aos direitos do tradutor;

§5º solidarizar-se com as iniciativas em favor dos interesses de sua categoria, ainda que não lhe tragam benefício direto.

CAPÍTULO II
Relações com os Colegas
Art. 2º – O tradutor deve tratar os colegas com lealdade, respeito e solidariedade.
Art. 3º – O tradutor deve abster-se de qualquer ato que signifique concorrência desleal a outros tradutores ou exploração do trabalho de colegas, seja em sentido comercial ou outro.

CAPÍTULO III
Relações com o Contratante do Serviço
Art. 4º – O tradutor deve servir lealmente ao interesse de quem lhe contratou o serviço.
Art. 5º – O tradutor deve empenhar-se em lavrar previamente por escrito, com o contratante do serviço, as obrigações recíprocas concernentes ao trabalho em causa.

CAPÍTULO IV
Do Segredo Profissional
Art. 6º – O tradutor é obrigado a guardar segredo sobre fatos de que tenha conhecimento por tê-los visto, ouvido ou deduzido no

exercício de sua atividade profissional, a menos que impliquem delito previsto em lei ou que possam gerar graves consequências ilícitas para terceiros.

CAPÍTULO V
Responsabilidade Profissional
Art. 7º – O tradutor é responsável civil e penalmente por atos profissionais lesivos ao interesse do contratante de seus serviços, cometidos por imperícia, imprudência, negligência ou infrações éticas.

CAPÍTULO VI
Aplicação deste Código
Art. 8º – Cabe ao Sindicato Nacional de Tradutores – SINTRA a apuração de faltas cometidas contra este Código de Ética, a aplicação das penalidades previstas nos Estatutos do SINTRA e, quando cabível, o encaminhamento do caso aos órgãos competentes.
Art. 9º – Com discrição e fundamento, o tradutor dará conhecimento ao SINTRA dos fatos que constituam infração às normas deste Código. (SINTRA, Sindicato Nacional dos Tradutores, Estatutos, Código de Ética do Tradutor, 13 dez. 2004.)[3]

Percebe-se como o Código de Ética do Tradutor do Sintra confere visibilidade ao tradutor, como agente que responde diretamente por seu trabalho e nas relações estabelecidas com clientes e outros tradutores. O referido código, em seu Capítulo V, até mesmo estabelece que o tradutor é "responsável civil e penalmente" por suas ações no exercício de sua profissão, o que imprime comprometimento com o serviço que lhe é confiado pelo cliente. Por outro lado, ao aplicarem-se as disposições específicas desse capítulo à atuação do tradutor brasileiro no segmento de localização que se caracteriza

---

3 Conforme a ex-presidente do Sintra, Profa. Dra. Heloisa Gonçalves Barbosa, entre 2003 e 2005, esse código foi retirado da página eletrônica do Sindicato, embora continue fazendo parte dos estatutos dessa associação profissional.

pela compartimentação do trabalho entre diferentes prestadores de serviço, percebe-se como se torna complexo vincular o tradutor a esses princípios e, em particular, atribuir-lhe a responsabilidade pelo trabalho final assim produzido.

Conforme analisei no Capítulo 1, as condições de produção de trabalhos de tradução em meio eletrônico, especialmente para a indústria da localização, favorecem o deslocamento da responsabilidade tradutória pelo trabalho final. Nesse contexto, é problemática a visão de tradução de Pym como "um produto acabado", considerando-se a fragmentação do texto de origem para tradução em equipe e as diversas etapas pelas quais passa o texto até sua conclusão. O tradutor autônomo que presta serviços para essa indústria é, pelo menos aos olhos de quem o contrata, apenas um membro de uma equipe coordenada por gerentes de projetos e que inclui também engenheiros de *software*, revisores e profissionais de editoração. Nesse espaço de produção de traduções, grande parte das estratégias colocadas em prática, envolvendo a adoção de uma terminologia específica, seu reaproveitamento com o auxílio dos sistemas de memória e seu controle com o uso de banco de dados, não constitui decisões do tradutor, devendo essas ser por ele acatadas e cumpridas. Esse fato favorece o descomprometimento do tradutor que, por não conhecer ou ser mantido afastado do processo de preparação do material traduzido como um todo, não se vincula à sua conclusão. O tradutor torna-se e faz-se, ainda que aparentemente, invisível aos olhos do contratante e do usuário final da tradução.

Projetos de localização refletem a visão que Arrojo (1998, p.28) considera "essencialista" da tarefa do tradutor, como encarregado de "encontrar equivalentes adequados" entre línguas e culturas, esforçando-se para manter-se neutro na realização dessa tarefa. Sua atuação é encoberta na mesma proporção do tamanho da equipe de que faz parte e da fragmentação do texto com que trabalha com o auxílio de ferramentas eletrônicas, como os sistemas de memórias. Na prática de tradução contemporânea com apoio de ferramentas eletrônicas como as memórias, as diversas situações que se apresentam ao tradutor em seu trabalho com outras línguas e culturas instigam uma reflexão sobre a relação entre o pensamento sobre o que constitui a ética em tradução e as principais conjunturas vividas pelo tradutor. Os principais efeitos e as possíveis implicações éticas da divisão e do compartilhamento do trabalho de tradução com auxílio dos sistemas de memórias são discutidos nas próximas seções.

A divisão do trabalho digitalizado de tradução

As ferramentas que atualmente assistem o trabalho do tradutor, em especial os sistemas de memórias de tradução, responsáveis por automatizar parte das atividades de pesquisa e recuperação de informações terminológicas, constituem um dos principais meios de compartilhar trabalhos de tradução em formato digital. Os sistemas de memórias dividem um ou mais textos de origem em segmentos que, conforme são traduzidos, são automaticamente comparados a segmentos já armazenados no banco de dados do sistema. A recuperação de uma tradução já realizada torna-se possível segundo as configurações feitas pelo usuário do sistema que, seguindo regras específicas de pesquisa, busca em sua memória opções anteriores de tradução que possam ter utilidade no trabalho em desenvolvimento. No Capítulo 2, demonstrei que, na medida em que o tradutor realiza a tradução de um segmento, ele é armazenado, também de modo automático, no banco do sistema. Esse recurso possibilita o trabalho em equipe em um mesmo texto, uma vez que, conforme preveem os manuais, os sistemas de memória permitem que a produção tradutória, especialmente a escolha terminológica e fraseológica dos tradutores, seja controlada e padronizada.

O domínio da produção seria uma forma de acelerá-la, assim como de manter o tradutor focado no segmento apresentado à tradução, dispensando-o do contato com o texto por inteiro. Como amplamente demonstrado na literatura da área (em especial em Bowker (2002); Pym et al. (2006)) os materiais textuais que requerem tradução na contemporaneidade apresentam pouca ou quase nenhuma semelhança com os textos impressos que dominavam o trabalho do tradutor há algumas décadas, diferindo deles por seu caráter provisório e, em razão dessa característica, pela exigência de uma tradução quase instantânea.

O meio eletrônico para o qual são produzidos e colocados em circulação textos e imagens possibilita sua adequação a diferentes contextos, assim como oferece a possibilidade de neles serem realizadas alterações e atualizações de forma rápida e a baixos custos. A transitoriedade da informação estimula a busca pelo reaproveitamento de trechos de textos em diferentes línguas, em especial por meio dos recursos dos sistemas de memórias de tradução abordados no capítulo precedente. Esses sistemas permitem, até mesmo, que o usuário ajuste o grau de "correspondência" (total, exata ou parcial) entre as unidades de tradução armazenadas na memória e os trechos do texto sendo traduzido.

Na maioria dos casos, os conteúdos das memórias provêm de bancos de dados formados a partir de traduções elaboradas por outros tradutores em outros trabalhos, sendo cada vez mais raras as situações em que o tradutor executa integralmente a pesquisa e a adequação terminológicas para a tradução que desenvolve. Biau Gil e Pym (2006, p.7) oferecem um exemplo de como a comunicação eletrônica possibilita, e até estimula, a distribuição de um trabalho entre vários "intermediários":

> o cliente pode querer comercializar seu produto em 15 línguas europeias. Contrata-se uma empresa de *marketing*, que contrata um prestador de serviços linguísticos, que contrata uma série de agentes comerciais para cada língua, que passam o trabalho para uma série de firmas de tradução, que passam os textos para os tradutores, em geral, *freelancers*. Nesse tipo de sistema, o cliente pode pagar até quatro vezes o que os próprios tradutores estão recebendo por página traduzida.

A divisão de tarefas nos projetos de traduções descrita por Biau Gil e Pym é exemplar da pulverização da responsabilidade tanto na indústria de localização como em projetos de revisão ou atualização de textos técnicos (manuais, por exemplo), com grande frequência de repetições. Ela também ilustra a situação vivida por tradutores que prestam serviços para firmas de tradução no Brasil, conforme documentado por Rieche (2004). Em razão do exíguo tempo com que projetos de tradução contam para serem finalizados e graças à facilidade tecnológica de comunicação e divisão de tarefas, tradutores e outros profissionais, trabalhando em diferentes locais do mundo, encarregam-se de etapas distintas da produção desses materiais. Uma das consequências dessa setorização do trabalho seria o isolamento do tradutor que, por se encontrar, muitas vezes, distante do cliente final e do contexto geral dos textos com que trabalha, acaba limitando sua pesquisa ao banco de dados da memória (ou ao glossário fornecido pelo cliente) e direcionando esforços quase exclusivamente às listas de frases que lhe cabem traduzir, um trabalho que pode isolar e desvalorizar a atuação do tradutor.

Outro efeito dessa seção de trabalhos seria a alienação dos direitos autorais por parte do tradutor,[4] visto que, da mesma forma que esse recebe o banco de dados para "alavancar" seu trabalho, dele também se espera a provisão do banco de dados formado a partir do trabalho realizado. Conforme expliquei no Capítulo 2, a transmissão e a incorporação de dados armazenados entre diferentes sistemas de memórias são possibilitadas pelo formato com que são salvas as informações terminológicas reunidas por esses sistemas. Apesar dos diferentes formatos de arquivos processados pelos sistemas analisados nesse capítulo, os sistemas *Wordfast, Trados* e

---

4 A referência a "direitos autorais" remete, em língua portuguesa, à ideia de autoria, produção intelectual de um sujeito, de acordo com sua definição como "direito exercido pelo *autor* ou por seus descendentes sobre suas obras, no tocante à publicação, tradução, venda, etc.", no *Novo Dicionário Aurélio Eletrônico* (2004, grifo meu). Já seu termo correspondente em inglês "*copyright*", faz referência à noção de controle de reprodução, parecendo conferir ao termo um sentido mais pragmático do direito de seu detentor. Conforme definido pelo *Webster's Encyclopedic Unabridged Dictionary of the English Language* (1994, p.323) *copyright* designa "o direito exclusivo, outorgado por lei por um número específico de anos, de fazer, descartar e controlar *cópias* de um trabalho literário, musical ou artístico" (tradução e grifo meus).

Transit possibilitam que o conteúdo armazenado em seus bancos de dados sejam salvos em um extensão padrão (.tmx) para simplificar a transmissão dos dados. O foco da literatura da área no domínio pelo tradutor dos aspectos técnicos do compartilhamento, por outro lado, não abre espaço para uma discussão sobre as possíveis implicações éticas que permeiam o intercâmbio ou a transmissão da produção tradutória armazenada nesses bancos. Como discuto na próxima seção, são diversas as maneiras como essa produção é permutada, colocando em conflito interesses diversos.

O compartilhamento de memórias: visões conflitantes sobre a propriedade do banco de dados

Um dos poucos trabalhos a apresentar questionamentos sobre a questão ética no compartilhamento de traduções e dados terminológicos é de autoria da consultora norte-americana em serviços de localização Suzanne Topping (2000). Topping realizou uma pesquisa com integrantes de grupos de discussão via *e-mail* sobre o intercâmbio de dados armazenados nos sistemas de memórias possibilitado pelo formato padrão (extensão .tmx) com que os sistemas permitem salvar essas informações. Como afirma a Topping (2000, p.59), "os tradutores podem e estão compartilhando bancos de dados de tradução", uma prática que estaria se tornando bastante questionável. Três pontos de vista foram levantados em sua pesquisa: a visão de clientes de serviços de localização, a das agências que prestam esses serviços e a de tradutores autônomos que realizam trabalhos para essa indústria, seja como *freelancers* diretamente para os clientes, seja como contratados por agências de localização.

Os dois principais argumentos daqueles que contratam serviços de tradução, em especial para trabalhos de localização, contra o compartilhamento de dados dizem respeito aos direitos sobre os dados reunidos a partir da tradução contratada e à preocupação com a proteção do sigilo comercial. Contratantes de serviços de tradução defendem sua exclusividade de acesso aos dados terminológicos reunidos a partir de um trabalho contratado. Por se considerarem proprietários desse "subproduto" da tradução, em geral, exigem que lhes sejam repassados os dados terminológicos juntamente com a tradução. Esses dados são usados em trabalhos posteriores com o intuito de reduzir custos de tradução, na medida em que possibilitam o aproveitamento de correspondências já estabelecidas e organizadas em unidades de tradução. Pela perspectiva do contratante, uma tradução deveria ser remunerada uma única vez, ou seja, a partir do momento em que um segmento for traduzido e reocorrer em outros textos, não deveria ser remunerado de modo integral, independentemente do contexto de que ela vier fazer parte. Como explicam Biau Gil e Pym (2006, p.10),

> a possibilidade de reutilizar traduções anteriores significa que os clientes solicitam que os tradutores trabalhem com sistemas de memórias de tradução e, depois, reduzem seus honorários. Quanto mais correspondências exatas e parciais existirem (segmentos iguais ou semelhantes já traduzidos e incluídos no banco de dados), menos eles pagam. Esse fato incita os tradutores a trabalhar rápido e, em geral, sem analisar os segmentos anteriormente traduzidos, com queda correspondente na qualidade.

Pela perspectiva do contratante de serviços de tradução, o banco de dados seria fornecido exclusivamente para aumentar o rendimento de um trabalho, pelo controle terminológico, para determinar a remuneração total ou fracionada do trabalho do tradutor, de acordo com o índice de reaproveitamento do conteúdo do banco. Uma vez que a prática consiste em remunerar a tradução de um segmento somente uma vez, a tendência é que o tradutor se concentre naqueles segmentos que não tenham sido antes traduzidos e que são integralmente recompensados. Os possíveis efeitos dessa escolha no texto traduzido serão analisados mais adiante.

A conclusão de uma tradução auxiliada por sistemas de memórias resulta na produção e no armazenamento de novos segmentos no banco de dados, comumente fornecido com o trabalho traduzi-do. A exigência de fornecimento do produto da tradução *juntamente* com os dados compilados com base no trabalho desenvolvido acaba banalizando e até extinguindo a propriedade intelectual, por parte tanto do cliente como do tradutor.

O tradutor abdica do produto da pesquisa terminológica rea-lizada para um trabalho de tradução, assim como abre mão do seu estilo de escrita. A memória fornecida com a tradução realizada é, quase sempre, reutilizada em outros trabalhos possivelmente elaborados por outros tradutores que, por sua vez, acabam sendo obrigados a adotar as opções de tradução, e até o estilo de escrita, de tradutores anteriores a eles.

Já o cliente que fornece ao tradutor a memória para um traba-lho visando agilizá-lo e reduzir seus custos pode estar criando um precedente para que uma terminologia desenvolvida especifica-mente para um produto a ser lançado seja facilmente acessada por empresas concorrentes. Para evitar quebra de sigilo, é praxe clientes celebrarem acordos de confidencialidade com os tradutores contra-tados. Entretanto, pela facilidade e rapidez com que a informação em formato digital pode ser fragmentada e compartilhada, torna-se complexo e até impossível impedir sua disseminação.

O risco de vazamento de informações confidenciais pelo con-teúdo dos bancos de memórias de tradução constitui uma realidade na indústria de localização, que demanda o emprego de sistemas de memórias por seus tradutores. Em projetos de lançamentos de novos produtos tecnológicos, grandes investimentos são feitos para o desenvolvimento e a padronização de terminologia multilíngue a ser utilizada como fonte de pesquisa para os projetos de tradução correspondentes. Como explica Esselink (2000, p.477), a tradução da documentação especializada que acompanha esses produtos tem início, na maioria das vezes, ainda na fase de desenvolvimento do produto, a fim de possibilitar o lançamento e, de preferência, a expedição simultânea (referida em inglês como "*simship*") de uma nova tecnologia, ou um novo *software*, em diferentes línguas e para diversos destinos. Diante dessa configuração de trabalho, tradutores atuantes no projeto de localização de um produto a ser lançado têm acesso a dados terminológicos ainda desconhecidos pelo público.

A proteção da confidencialidade desses dados é a principal argumentação dos clientes e das agências de serviços de localização e tradução contra o intercâmbio de memórias entre tradutores. Visando proteger as informações que recebem para o desenvolvimento dos trabalhos envolvidos na localização de um produto, é prática comum das agências limitar o acesso dos tradutores contratados ao banco de dados. A maioria permite que os tradutores conheçam somente as unidades de tradução que utilizarão. Grande parte das agências também adota critérios para a divisão de trabalhos, incluindo a contratação de gerentes de projetos de tradução e a segmentação do material de origem entre vários tradutores, para controlar a produção de seus prestadores de serviços e restringir o domínio desses profissionais sobre o projeto como um todo.

O receio da divulgação de informações técnicas de um produto durante a execução de um projeto de tradução faz também que as agências estabeleçam medidas para coibir a prática de intercâmbio de bancos de dados entre tradutores. Uma das ações tomadas para proteger o segredo do conteúdo de materiais disponibilizados para tradução é a celebração de contratos de sigilo (conhecidos pela sigla NDA, em inglês, *Non-Disclosure Agreements*), entre o contratante de um projeto de tradução e a agência contratada. Nesses casos, a agência torna-se responsável por garantir que seus prestadores de serviços respeitem e mantenham a confidencialidade do trabalho.

Tanto contratantes de serviços de tradução quanto agências que prestam esses serviços são contrários à divulgação total de conteúdos dos bancos de dados dos sistemas de memórias aos tradutores que executam serviços contratados. Aos tradutores caberia usufruir de uma memória, quando fornecida antes de início de um trabalho, somente para a execução da tradução, e disponibilizar as unidades de tradução resultantes de seu trabalho quando esse é entregue. As memórias transmitidas pelos tradutores contratados são acrescidas ao banco de dados das agências, ou do cliente, que passarão a deter a propriedade de seus conteúdos e a estipular a remuneração por suas reocorrências em trabalhos futuros. De um ângulo oposto, tradutores autônomos defendem e praticam o intercâmbio de dados entre colegas de profissão. O compartilhamento de unidades de tradução seria uma maneira de incrementar o volume de segmentos armazenados nas memórias de tradutores autônomos e as chances de ganho de tempo nos serviços prestados pelo aproveitamento de traduções já realizadas por outros tradutores. A adoção de diferentes *softwares* de memórias de tradução não impede essa prática, pois os arquivos com a memória apresentam a mesma extensão .tmx e são facilmente importados e incorporados pelos sistemas.

Essa é uma das estratégias de que muitos profissionais têm se valido para adquirir competitividade em relação às extensas memórias mantidas e continuamente expandidas pelas agências de tradução e localização. Questões como a confidencialidade dos trabalhos que realizam não parecem restringir essa prática, pois, como demonstra a pesquisa de Topping, muitos tradutores argumentam que a descontextualização das unidades de tradução compartilhadas os isentaria do compromisso de sigilo com os clientes, uma vez que, como defendem, não seria possível exportar um texto coerente a partir de um banco de dados de um sistema de memórias. Além disso, como declararam alguns tradutores pesquisados por Topping e que permutam memórias de tradução, o banco de dados de um sistema de memórias seria de propriedade da pessoa que o compila, já que também seria dela a responsabilidade final pelo produto gerado também com base nas informações nele armazenadas.

Há, por outro lado, tradutores que não veem o intercâmbio de bancos de dados como uma forma de incremento à sua produtividade, ainda que tecnicamente possível e simples à primeira vista, especialmente ao considerarem o fato de ser necessário adotar um estilo de escrita em tradução muito semelhante àquela da memória de referência para "ativar" a recuperação de dados. Conforme analisado no Capítulo 2, a pesquisa que promove a recuperação de segmentos anteriormente traduzidos não se efetiva com base em nenhum componente semântico da memória, mas opera de acordo com marcas formais configuradas pelo usuário e que podem envolver quantidade de caracteres e marcações de pontuação entre os segmentos.

Quando questionados sobre o fornecimento de seus dados terminológicos ao contratante de um trabalho sem remuneração específica, muitos tradutores tornam-se reticentes. Em um levantamento de declarações de tradutores no fórum de discussão *Translator's Café*[5] em face da questão "Você fornece [ao cliente] a memória de tradução com trabalhos?", muitos informam que só o fazem quando solicitado pelo contratante, especialmente se houver possibilidade de conseguir novos trabalhos. A maioria dos participantes do fórum declara que, por serem deles os esforços para construção da memória, deles também seriam os direitos sobre essa. Com relação a essa prática, Wallis (2006, p.19), comenta que:

> é interessante observar, entretanto, que embora os tradutores possam relutar em ceder suas memórias de tradução a seus clientes, alguns estão permutando esses bancos de dados com outros tradutores. Esse fato levanta a questão se esse tipo de intercâmbio é apropriado devido à confusão atual em relação à *propriedade* dos bancos de dados. (grifo meu)

Wallis trata a questão do direito de "propriedade" (em inglês, *ownership*) dos bancos, como um direito legal de posse de um bem tangível e passível de ser comercializado. Já Bowker (2002, p.122) caracteriza a discussão sobre a "propriedade" dos bancos terminológicos como uma "questão espinhosa originada com o advento das memórias de tradução" e afirma que "devido ao fato de as memórias de tradução poderem ser um recurso valioso, tanto tradutores como clientes estão naturalmente ansiosos para reivindicar

---

5 Os diferentes pontos de vista dos tradutores que integram a lista de discussão do *site Translator's Café* podem ser lidos na íntegra em <http://www.translatorscafe.com/cafe/MegaBBS/thread-view.asp?threadid=4881&start=61>. Acesso em: 23 jul. 2013.

propriedade". Julgada por muitos clientes uma extensão natural do trabalho contratado de tradução, a memória é considerada um direito adquirido em conjunto com trabalho. Para Pym (2006, p.10), os debates acerca da propriedade das memórias constituem "questões éticas que escapam aos parâmetros de contratos de direitos autorais tradicionais".

As declarações desses teóricos assinalam a crescente importância que os bancos de dados terminológicos formados com o uso dos sistemas de memórias vêm assumindo na prática tradutória. Elas marcam também o possível início de uma discussão para a qual não foram ainda previstas disposições legais que definam o controle sobre o resultado derivado de uma produção intelectual que, embora seja fornecida como um trabalho à parte daquele contratado de tradução, não está sendo remunerada.

O intercâmbio de bancos de dados entre clientes e tradutores, clientes e agências de tradução e agências e tradutores contratados constitui uma ação rotineira que pode gerar ramificações legais e éticas. A legalidade dessa prática pode vir à tona na medida em que dilui os direitos tanto do contratante, que fornece dados terminológicos ao tradutor para a execução de um serviço, como do tradutor, que repassa ao cliente seu trabalho para compor o banco de dados deste e servir como fonte de consulta e reaproveitamento em futuras traduções que ele venha a contratar.

As possíveis implicações éticas do compartilhamento das memórias e as influências sobre a produção textual de origem e da tradução são discutidas nas próximas seções.

O compartilhamento das memórias: possíveis desdobramentos éticos

Por se tratar de uma questão bastante controversa e não existir ainda uma regulamentação sobre a propriedade legal dos dados terminológicos e fraseológicos que constituem a memória, tanto tradutores como clientes sentem-se igualmente no direito de deci-

dir sobre o emprego e de determinar quem terá acesso a essas unidades de tradução e de que modo esse uso será disponibilizado para
trabalhos de tradução. Segundo Heyn (1998, p.136), "problemas
de direitos autorais surgem quando não está claro a quem pertence
a memória, ao fornecedor do serviço de tradução ou ao cliente que
contrata esse serviço. Em muitos casos, essa questão fica sujeita a
negociação". Já na opinião de Bowker (2002, p.123), as visões de
ambas as partes quanto aos direitos ao conteúdo da memória seriam
justificáveis e, sendo os sistemas de memórias tecnologias de aplicação relativamente nova na prática tradutória e não tendo ainda
sido instituída uma regulamentação definitiva para a questão, "a
negociação deve ser especificamente tratada em contratos de forma
que ambas as partes estejam cientes de suas posições".

Seja qual for a dimensão do projeto de tradução desenvolvido
com o auxílio de sistemas de memórias, na opinião de Topping
(2000), o compartilhamento das unidades de tradução formadas a
partir de um trabalho contratado constituiria um rompimento do
compromisso do tradutor e qualquer destinação do produto de uma
tradução assim encomendada deveria antes passar pela aprovação
do contratante. A própria questão do que configuraria um trabalho
confidencial parece já gerar polêmica, como questiona a consultora:

> alguns tradutores afirmam que avaliarão qual conteúdo é confiden-
> cial e, então, compartilharão somente as informações não-confiden-
> ciais. Mas como são capazes de realizar esse tipo de julgamento? A
> opinião de cada cliente sobre confidencialidade é diferente, e deve
> pertencer a ele o direito de realizar tais determinações. (Topping,
> 2000, p.60)

As declarações desses autores demonstram não haver ainda um
consenso nem entre tradutores e clientes e nem na literatura sobre a
quem caberiam os direitos sobre os dados terminológicos, que também são produtos da tradução. Para garantir a proteção das informações armazenadas em bancos de dados, Topping recomenda que
os contratos de confidencialidade contenham cláusulas que dispo-

nham sobre a propriedade do banco de dados, a quem cabe a remuneração sobre sua criação e quais serão as políticas de reutilização. A prática, por sua vez, demonstra ser comum a incorporação pelo tradutor da terminologia produzida em uma tradução. A manutenção da memória gerada a partir de um trabalho pode promover economia de tempo para execução de traduções futuras para o mesmo cliente. Como atestam Biau Gil e Pym (2006, p.10), "a maioria dos tradutores costuma manter cópias dos bancos de dados ou integrá-los aos seus bancos. Não temos ciência de alguma lei ter sido já usada contra eles".

As condições de produção de traduções com auxílio dos recursos disponibilizados pelos sistemas de memórias geram desdobramentos éticos particulares à prática contemporânea de tradução com auxílio dessas ferramentas tecnológicas, como a determinação do que constitui propriedade intelectual e como ela seria controlada e remunerada. Os limites da propriedade intelectual do tradutor sobre a tradução podem se tornar indistintos nos casos em que o cliente fornece o banco de dados para um trabalho, por exemplo. Em algumas das discussões iniciais sobre esse assunto (Topping, 2000; Bowker, 2002; Biau Gil; Pym, 2006), a preocupação parece estar concentrada no estabelecimento dos limites dos direitos autorais sobre a memória, como em casos em que a terminologia é repassada pelo tradutor ao cliente e, posteriormente, disponibilizada pelo contratante a outro tradutor para o desenvolvimento de um trabalho. Até o presente, questões referentes à remuneração dos direitos autorais do tradutor sobre o banco criado a partir de um trabalho por ele desenvolvido são bastante incipientes e restritas a discussões promovidas em encontros específicos que congregam tradutores e pesquisadores.

Um dos eventos precursores dessas discussões foi a conferência internacional "Tradaptation, Technologie, Nomadisme" [Tradaptação, Tecnologia e Nomadismo] realizada em Montreal, Canadá, em março de 2007, em que se discutiu primordialmente sobre a necessidade de uma reflexão mais aprofundada sobre como as novas tecnologias de tradução exigem uma reestruturação no modo de remuneração do tradutor. Nesse encontro, foram propostas, em uma das mesas-redondas, sugestões de mudanças na forma de remuneração de serviços de tradução, que passariam a ser contabilizados com base em horas dedicadas de trabalho. Essa proposta foi justificada pelo fato de o pagamento com base em número de caracteres ou palavras como feito na atualidade não inclui o trabalho de pesquisa e constituição da memória de tradução pelo tradutor. Embora a prática atual consista no recebimento, pelo tradutor, e na entrega, ao cliente, de bancos de dados sem qualquer pagamento de honorários, essa questão deverá ser trazida à baila na medida em que se dissemina a aplicação de sistemas de memórias.

Outro evento que abriu caminho para a discussão sobre as transformações pelas quais passa o trabalho de tradução com apoio de novas tecnologias, especialmente sistemas de memórias foi a conferência "Interpreting the future: challenges for translators and interpreters arising from globalization" [Interpretando o futuro: desafios para tradutores e intérpretes originados da globalização], realizada em 2009 em Berlim, Alemanha, sob os auspícios da Associação Federal de Intérpretes e Tradutores da Alemanha. Entre as questões discutidas e caracterizadas como consequência da crescente exigência da adoção de sistemas de memórias e de outras tecnologias está a progressiva queda de preços de remuneração de serviços de tradução para setores como o de traduções especializadas de manuais e o de localização. A eliminação da distância física para contratação de tradutores e a difundida suposição de que o domínio de um sistema de memórias já qualificaria o tradutor para a realização de um trabalho possibilitam o cotejamento de custos e a decisão por aquele de menor valor. A depreciação do serviço do tradutor seria uma consequência da supervalorização dos sistemas de memórias, comercializados com base na promessa de que, com eles, "a mesma frase nunca precisará ser traduzida duas vezes" ou de "confirmada padronização terminológica e fraseológica", soluções que garantiriam a qualidade do produto final.

Essa concepção de texto, que privilegia a economia de tempo gerada pela recuperação de trechos recorrentes de texto, influencia a composição da tradução com base na crença de que seria possível controlar termos, frases e palavras nos diferentes contextos de que venha fazer parte, bastando acionar comandos específicos para sua reutilização. Ainda que ofereçam ao tradutor-usuário a ilusão de estar lidando com significados, os sistemas trabalham exclusivamente com caracteres divididos em segmentos, sem qualquer base semântica para a construção textual. Todo segmento recuperado da memória é apresentado ao tradutor com base em algoritmos matemáticos que calculam o índice de semelhança entre os caracteres armazenados na memória e aqueles da tradução em desenvolvimento. Para esses sistemas, as línguas nele armazenadas são tratadas como nomenclaturas sem qualquer relação com o significado das palavras.

Essa estruturação dos sistemas influencia diretamente na produção textual da tradução, fazendo que o tradutor, ao se concentrar no desmembramento do texto em frases e expressões fixas, acabe igualmente perdendo a noção de como o texto vai ser utilizado. Levado às últimas consequências, o uso instrumental da língua como um incremento à produtividade das memórias representa um rompimento com o leitor da tradução na medida em que prioriza a estrutura e a composição textual do texto de origem, em um esforço para alcançar um paralelismo sintático, muitas vezes, estranho à língua da tradução. A atenção do tradutor volta-se ao possível rendimento do sistema de memória com as escolhas que faz para o texto traduzido, perdendo o foco no leitor de sua produção.

Essa prática também influencia na elaboração de textos traduzidos cada vez mais rígidos, que busquem manter a correspondência estrutural com o original a fim de aumentar as chances de reaproveitamento de pares equivalentes em traduções futuras. Os efeitos de uma produção tradutória que tenha em vista não somente a recriação textual para o público leitor da tradução, mas, paralelamente, a adoção de uma escrita que promova o aumento da eficácia da ferramenta que serve de auxílio ao tradutor aproxima os sistemas de memória da concepção dos programas de tradução automática, no que tange a regras de controle de produção de traduções.

Assim organizada, a memória oferece nada mais que um rol de segmentos descombinados, extraídos de diferentes contextos, e que, dispostos em duas línguas e por meio um sistema automático, devem possibilitar o máximo de reaproveitamento em trabalhos afins. Caberia ao tradutor adequar os segmentos reapresentados a novos textos, editando-os de forma a também gerarem novas possibilidades de reutilização. Fecha-se assim o ciclo que Bédard (2000, p.42), tradutor e pesquisador em ferramentas eletrônicas de auxílio à tradução, denomina de "reciclabilidade de frases", cuja máxima estaria na "simetria quantitativa" e "a primeira instrução é traduzir uma frase por outra frase – raramente por duas e nunca por nenhuma". A limitação da correspondência biunívoca reafirma-se nos sistemas de memórias uma vez que, ao segmentarem o texto a ser traduzido para compará-lo às unidades de tradução armazenadas, eles privam o tradutor de uma visão geral do texto, sem as demarcações artificialmente encerradas por ponto final, dois pontos ou ponto e vírgula configuradas no recurso de segmentação. Para Bédard, a automatização da tradução, ainda que parcial e passível de controle pelo tradutor, baseia-se em uma noção simplista do trabalho do tradutor que, como defende, constitui também uma forma de escritura, que comunica uma mensagem e na qual "as palavras são um meio, e não um fim em si" (ibidem).

A crítica de Bédard está no engessamento que os sistemas de memória impõem à maneira do tradutor reconstruir a mensagem na língua da tradução. Como explica, o tradutor, sem o uso dessa ferramenta, pode optar por reelaborar as frases do texto traduzido de modo diferente do texto de origem. Entretanto, com o auxílio dos sistemas de memória,

se o tradutor articula as frases de sua tradução de modo que seja exatamente a mesma do texto original, é ao preço de um certo grau de mediocridade estilística e comunicacional ou, ainda, de um esforço indevido de sua parte para respeitar uma estrutura, afinal de contas, artificial. Além do mais, o tradutor sofre, de certo modo, uma "deformação profissional" que o leva, perante um parágrafo, a ver não o desenvolvimento de uma ideia, mas uma simples coleção de frases. (Bédard, 2000, p.44)

A coesão entre as frases de um texto em uma língua, elaborada por recursos como de coordenação e subordinação, elipses, omissões, pronomes e outros dêiticos, desfaz-se conforme o tradutor se empenha em produzir segmentos de origem simétricos àqueles de origem para garantir o bom desempenho do sistema de memória. Essa seria a condição também para a utilização do recurso de alinhamento que, conforme descrito no capítulo anterior, possibilita o incremento da memória pela adição de novas unidades de tradução formadas a partir de textos traduzidos sem o auxílio desse sistema. O alinhamento é mais um recurso que trata das frases de um texto de modo isolado, tornando impossível determinar a referência que uma frase possa fazer, por exemplo, a construções frasais ou parágrafos que lhe antecedem ou sucedem.

Uma possível exacerbação do efeito do tratamento do texto de forma fragmentada, por meio de segmentos descontínuos, conjuga o intercâmbio de memórias entre tradutores e os esforços para reaproveitamento desses conteúdos como forma de acelerar o trabalho. Segmentos provindos de diferentes contextos, pareados com as traduções realizadas por diferentes tradutores, são reunidos e formam o que Bédard (2000, p.45) qualifica como uma "salada de frases". Essa operação para utilização da memória iria de encontro a uma das principais justificativas para seu uso: a coerência textual. Sempre que o tradutor se esforça para reaproveitar ao máximo o conteúdo da memória de que dispõe, ele pode estar correndo o risco de empregar equivocadamente termos, trechos de segmentos e até frases inteiras no texto traduzido. Ademais, se a memória utilizada tiver sido formada a partir da produção de outros tradutores, os segmentos nela contidos não deixarão de refletir os diferentes estilos de seus tradutores, possivelmente resultando em um texto traduzido repleto de disparidades, definidas por Deslile (2006, p.162) como "incoerências estilísticas e discordâncias que afetam o trabalho traduzido. Quando comparada ao original, a tradução demonstra falta de unidade linguística, estilística e tonal, entre outras".

A memória, como referência mais acessível e, muitas vezes, oferecida como a base mais confiável ao tradutor, tem efeito em sua produção. Como salientam Bowker e Barlow (2008), mesmo que uma sugestão recuperada da memória não seja a mais apropriada para o tradutor para a tradução de um determinado segmento, ela pode acabar influenciando suas escolhas na elaboração da tradução, pois, como defendem,

> após o tradutor ter visto uma sugestão do banco de dados, pode ser difícil pensar em outra forma de expressar aquele pensamento; assim, ele pode utilizar a tradução sugerida mesmo se ela não se adequar de modo coerente ao texto como um todo. (Bowker; Barlow, 2008, p.79)

A pressão dos prazos a que o tradutor se submete para realizar um trabalho pode constituir um agravante para a adoção de sugestões apresentadas pela memória que, à primeira vista, pareçam suficientemente apropriadas no contexto restrito pela segmentação em que o tradutor trabalha. A falta de experiência técnica do tradutor com o sistema que utiliza também pode interferir nas escolhas que fará para elaborar o texto traduzido, da mesma maneira que nos casos em que o tradutor não conta com conhecimento suficiente da especialidade em que esteja atuando. De acordo com os resultados de uma pesquisa conduzida por Bowker (2006, p.182), "um tradutor novato pode não ter a confiança para questionar a adequação de uma proposta, especialmente se o emprego do sistema de memória foi exigido pelo cliente ou pela empresa".

Em busca de ganho de tempo e coerência terminológica entre os segmentos traduzidos, o tradutor acaba assumindo, muitas vezes, a posição de mero editor de segmentos recuperados da memória, de modo similar ao trabalho de pós-edição quando utilizados programas de tradução automática. A diferença entre as duas ferramentas estaria na interferência do tradutor na execução da tradução: nas memórias, o tradutor intervém *durante* a realização da tradução, ao passo que, nos programas de tradução automática, o tradutor só atuaria *antes* e *após* o processamento automático, controlando a língua do texto de origem e editando o produto traduzido, respectivamente. Os sistemas de memórias são frequentemente aludidos como ferramentas úteis na manutenção da coerência textual. Os manuais do usuário analisados também demonstram como a coerência pode ser preservada, especialmente em trabalhos com textos considerados especializados. Do modo como é tratada, a "coerência" é basicamente concebida como mecanismo que garante que um determinado termo ou segmento seja traduzido da mesma maneira em todas as suas ocorrências. Um exemplo está na maneira como Austermühl (2001, p.134) justifica a demanda, por parte de contratantes de serviços de tradução para áreas especializadas e de localização, pela aplicação de sistemas de memórias, como "majoritariamente devido a possíveis reduções de custos e *à necessidade de coerência no estilo e na terminologia*" (grifos meus). Já Rieche (2004, p.47) ressalta como benefício das memórias o fato de serem capazes de "garantir que *os documentos sejam consistentes entre si*, incluindo definições, expressões e terminologia comum" (grifos meus). Outro exemplo em que a garantia de coerência, ou consistência terminológica, é realçada está nas diversas referências a essa qualidade encontradas no manual do sistema *Wordfast*. Uma delas refere-se à capacidade de essa ferramenta, durante uma tradução, "realizar uma verificação da coerência terminológica quando o segmento é validado, para *certificar-se de que os termos adequados são usados na tradução*" (Rieche, 2004, p.30, grifos meus). Nos últimos casos mencionados, a coerência diz respeito à padronização da utilização de segmentos, frases e termos especializados recorrentes, um recurso visto como útil em traduções extensas, em que nem sempre é possível relembrar como uma construção frasal ou um termo foi usado e retomá-lo em outras ocorrências, ou quando a tradução é realizada por mais de um tradutor, em que haja a necessidade de compatibilidade de elaboração entre as diversas partes de um trabalho.

Por outro ângulo, ainda que seja um recurso desejável por tradutores que fazem uso das memórias em especial para padronização de suas traduções, nem sempre existe um consenso entre tradutores usuários de memórias sobre a adequação de uma tradução para um segmento, como demonstra um estudo conduzido por Merkel (1998), professor e pesquisador do Departamento de Informática e Ciências da Computação da Universidade Linköping, Suécia. O referido estudo enfocou como tradutores de uma determinada especialidade textual avaliam as traduções de frases recorrentes em diferentes contextos. Para preparar o material textual, Merkel aplicou algumas ferramentas para detectar e alinhar frases e expressões recorrentes na área de atuação dos tradutores pesquisados. Depois, aplicou um questionário a treze tradutores contratados por uma fabricante de *software* para traduções de seus manuais com o auxílio de sistemas de memórias. Uma das perguntas elaboradas referiu-se à preferência desses tradutores por uma determinada tradução de um segmento de origem em dois contextos diferentes.

Os tradutores consultados por Merkel (1998, p.145) apontaram para a necessidade de avaliar as traduções oferecidas pela memória no contexto de que passariam a fazer parte. Para esses tradutores, a escolha da tradução considerada mais apropriada demonstrou ser guiada não somente pela correspondência terminológica entre duas línguas, mas, igualmente, pelo posicionamento da frase no texto, seja no corpo do texto, em um título ou como uma célula de uma tabela, por exemplo. As observações colhidas pelo questionário de Merkel também sugerem que, mesmo quando considerado apropriado ao tradutor reaproveitar uma opção recuperada da memória a fim de manter a coerência textual, frequentemente são necessários ajustes para integração ao novo texto traduzido. Nesses casos, o trabalho de edição pode ser longo e exigir mais do tradutor. Para Bowker e Barlow (2008, p.77), "dependendo da quantidade de edição exigida para produzir um segmento-alvo, pode ser na verdade mais rápido para o tradutor digitar a tradução do início em vez de editar o segmento proposto". Quanto mais relacionado o conteúdo da memória for com o trabalho em desenvolvimento, maiores as chances de que as unidades de tradução nele armazenadas serem compatíveis com os segmentos demarcados para o novo trabalho. Por outra perspectiva, trabalhar com uma memória volumosa, com acréscimos feitos pela incorporação de dados terminológicos de outros tradutores ou pelo procedimento de alinhamento, também favorece as oportunidades reais de o sistema localizar uma correspondência, embora exponha o tradutor a riscos de ser influenciado, e até de acabar aceitando uma sugestão da memória que não seja adequada ao seu contexto atual.

A questão da responsabilidade parece assumir diferentes dimensões no trabalho com os sistemas de memória. Em uma das situações já abordadas, em que o banco de dados é compilado pelo próprio tradutor para trabalhos em uma área determinada, seria supostamente possível ter maior controle da produção, estando o tradutor mais apto a justificar suas escolhas. Em outra conjuntura, em que o volume do banco de dados é considerado produtivo por efeito dos acréscimos de trabalhos de outros tradutores ou de alinhamentos de trabalhos anteriores, as reocorrências de segmentos no novo trabalho de tradução, embora mais frequentes, não proviriam de um único sujeito, apresentando diferentes estilos de composição textual.

Sendo a produção de traduções compartilhada quando se faz uso de sistemas de memórias, ficaria difícil atribuir ao tradutor a responsabilidade pela produção final de um trabalho, considerando-se, principalmente, o papel por ele desempenhado na longa cadeia de produção de traduções em projetos executados para a indústria de localização, por exemplo. O item seguinte problematiza a determinação da responsabilidade pelo produto final, a tradução, em situações em que o trabalho do tradutor é encoberto com o uso das memórias e em meio aos diversos agentes que atuam para a conclusão de um trabalho.

A tradução assistida por sistemas de memórias: reflexos na determinação da responsabilidade tradutória

O modo como o tradutor é condicionado a orientar seu trabalho de forma a garantir o uso eficiente dos sistemas de memórias reflete a concepção contemporânea de tradução. A descrição da prática de tradução de segmentos delimitados de modo simétrico e autônomo, a prescrição da adoção de opções terminológicas predefinidas e a orientação em ajustar segmentos já traduzidos e recuperados automaticamente a um novo contexto revelam uma visão mecanicista da prática tradutória.

Como já discutido no Capítulo 1, a competitividade comercial das indústrias produtoras e exportadoras de produtos tecnológicos depende da rapidez com que são preparadas as traduções da documentação de origem de produtos a serem lançados nos prospectivos mercados consumidores. A tendência de evolução desse cenário de produção de traduções a ritmo industrial é descrito para o setor de localização por Esselink (2000, p.481), que prenuncia o dia em que:

> o conteúdo [de origem] será replicado automaticamente a partir de um banco de dados central para locais em todo o mundo, as traduções serão automaticamente transferidas de volta a um repositório central e os prestadores de serviços de localização ver-se-ão gerenciando pessoas e processos em vez de projetos temporários.

Para que possa ter condições de atuar com competitividade nesse mercado de trabalho, o tradutor tende a empregar e dominar cada vez mais recursos tecnológicos, que confiram agilidade à sua produção. Como previsto por Esselink, na próspera indústria da localização, os efeitos da segmentação do mercado serão sentidos pelo estreitamento da atuação do tradutor, que fará parte de uma cadeia muito maior de profissionais que se ocupam de etapas específicas do trabalho de composição textual no número de línguas de interesse comercial. Na visão de Esselink (2000, p.478), "todos os textos serão criados, gerenciados e publicados com base em tecnologias de bancos de dados". A exigência de conclusão dos trabalhos em prazos decrescentes fará que "toda a informação seja extraída dos bancos de dados, processada pela memória de tradução de forma que somente o texto novo seja traduzido" (ibidem, p.479).

Se concebemos o tradutor como o controlador das memórias, como descrevem os manuais de usuários dos sistemas analisados, podemos inferir que seu domínio sobre o texto tenderá a diminuir na divisão de trabalho vislumbrada por Esselink. A base interpretativa construída pelo tradutor e com a qual ele desenvolve seu trabalho estará apoiada somente em partes do texto a ele designadas para tradução. Para Bédard (2000), o tradutor que emprega ferramentas como os sistemas de memória está propenso a tornar-se um "tradutor de frases" em oposição a um "tradutor de textos". Como assevera, "estou certo de que daqui a alguns anos, será possível encontrar no mercado tradutores que, além dos exercícios de sua formação universitária, *não terão jamais traduzido todas as frases de um mesmo texto*" (Bédard, 2000, p.49).

A afirmação de Bédard prenuncia uma das mudanças que podem afetar o trabalho do tradutor, resultante da divisão do trabalho particularmente no setor de localização. Pym (2004a) também analisa a segmentação desse mercado que, por sua prosperidade, atrai um número cada vez maior de tradutores. Como explica o autor, de um lado, tem-se o trabalho de menor prestígio, e consequentemente menor remuneração, formado por tradutores prestadores de serviços que, em geral, têm acesso limitado ao uso de ferramentas eletrônicas, por exemplo, empregando versões de sistemas de memórias mais econômicas e com menos recursos. De outro, situam-se as empresas de localização, que dispõem de sistemas de memória de maior porte, com sofisticados recursos tecnológicos e volumosos bancos de dados terminológicos para projetos extensos e cada vez mais repetitivos. Conforme descreve Pym (2004a, p.161),

pessoas que traduzem desde menus a materiais promocionais para pequenas empresas estão operando em um mundo muito diferente daquele dos localizadores com acesso a alta tecnologia, sendo suas noções de "tradução" correspondentemente bem diferentes.

A ideia geralmente associada à localização é a de um trabalho bem-sucedido de aproximação entre diferentes culturas, implementado em diversas etapas por grandes equipes de profissionais com conhecimento linguístico e tecnológico que lidam com sofisticados recursos de pesquisa, armazenamento e recuperação de dados terminológicos multilíngues. Comumente tratada como um trabalho exclusivamente linguístico, a tradução é cada vez mais associada ao emprego de ferramentas eletrônicas, em especial sistemas de memórias. Essa maneira como o trabalho de tradução é concebido por setores como o da localização restringe a atuação do tradutor nos projetos dessa área, como discutido no Capítulo 1. A incumbência de traduzir "materiais textuais" apresentados de modo segmentado na interface dos sistemas de memórias empregados é indicativa da repressão da interferência do tradutor, com limites impostos pelas caixas de inserção da tradução apresentadas no Capítulo 2. Como confirma Pym, no sistema de memórias, o próprio

> leiaute nos diz que a tarefa do tradutor é alterar as palavras e nada mais. Não há uma visão clara da formatação do texto; não é fácil visualizar o *design* da página eletrônica. Os tradutores não devem se interessar por essas coisas; eles certamente não devem saber sobre os valores culturais e os efeitos envolvidos. (Pym, 2004a, p.163)

A crença na possibilidade de separar língua e cultura, atribuindo à tradução o trabalho exclusivamente mecânico de transferência linguística, colabora para que os sistemas de memória de tradução sejam projetados e utilizados da forma que são atualmente. A descrição de Pym de como o texto de origem é apresentado ao tradutor no ambiente de trabalho desses sistemas chama a atenção para a influência que essas ferramentas exercem na tradução a partir do modo como permitem a visualização do texto.

Na medida em que o tradutor volta seu foco exclusivamente ao segmento a ser traduzido, desconsiderando ou colocando em segundo plano o texto maior de que faz parte, e a memória lhe apresenta opções de traduções anteriores para reaproveitamento, a tendência é a produção de um texto que retome traduções já realizadas por outros tradutores em outros contextos e expresse cada vez menos as escolhas do tradutor que o desenvolve. A forma fragmentada de apresentação do texto de origem age também para que o tradutor apegue-se às opções apresentadas pela ferramenta, deixando por vezes de lado a busca por outra maneira de elaborar a tradução. Essa tendência pode ser justificada pelo fato de o tradutor nem sempre ter acesso por inteiro ao texto de origem com o qual trabalha ou à situação em que a tradução será utilizada, pois, a própria ferramenta que utiliza em seu trabalho "não o convida a olhar nessas direções" (Pym, 2004a, p.163).

Quando grande parte dos textos de origem encontra-se em meio digital, dispersa-se a responsabilidade do tradutor que lida com um original em constante processo de atualização e, em geral, fragmentado para possibilitar a tradução e o tratamento em equipe. Sendo o comprometimento do tradutor com o trabalho que realiza limitado também pelas ferramentas que o auxiliam, desfazem-se as relações que o tradutor constrói com o texto que produz, um fato que repercute diretamente na concepção ética da prática. No momento em que a atuação do tradutor é ocultada ou relegada a um segundo plano em relação ao desempenho de ferramentas como as memórias, sua relação com o texto que traduz limita-se ao pequeno espaço que lhe é permitido intervir no texto, como em situações em que o sistema que utiliza não recupera segmentos da memória, ou em que essa recuperação é parcial, exigindo a "edição" pelo tradutor. Essa restrição da atuação do tradutor limita também a medida de sua responsabilidade, já que não seria cabível ele responder por um trabalho com base em um texto de que só traduziu trechos e que desconhece na íntegra.

De fato, o projeto e a aplicação dos sistemas de memórias são ativamente influenciados pela imagem de tradução como uma operação de transferência ou "substituição de materiais textuais"[6] entre diferentes línguas. A descrição de Pym (2004b, p.126) de como o

---

6 Definição de tradução proposta pelo linguista John C. Catford (1980) em *Uma teoria linguística da tradução.*

texto é apresentado ao tradutor pelos sistemas de memórias sintetiza essa ideia:

a tecnologia auxilia o tradutor removendo todas as formatações visíveis, dividindo o texto em fragmentos, ocultando muitos fragmentos e fazendo o tradutor concentrar-se em fazer com que a coluna do lado direito pareça com a coluna do lado esquerdo. Se o tradutor não conseguir fazer com que os pares correspondam entre si, eles não serão salvos para uso futuro. E uma vez que esses pares são salvos, eles se tornam tão anônimos quanto o produtor do texto de origem, o tradutor, e, de fato, o usuário final. A tecnologia reduz a tradução ao sentido mais primitivo de fidelidade imaginável: a fidelidade a palavras no nível da frase, ou em níveis inferiores, com a pluralidade e a humanidade condenada às sombras.

O trabalho humano de criação e recriação de sentidos é encoberto tanto na produção textual de origem (por regras de padronização de textos), como na produção tradutória (pela determinação de reutilização da memória de traduções anteriores). A concepção de tradução como uma operação de transposição de segmentos unívocos entre duas línguas retoma a concepção de linguagem como nomenclatura, um conceito que repercute o pensamento combatido já nos primórdios da linguística.

Seja integrando uma equipe de trabalho para a indústria de localização ou prestando serviços como *freelancer*, o tradutor teria seu papel limitado à aplicação eficaz de ferramentas tecnológicas para produzir os resultados esperados para um determinado trabalho. Seus conhecimentos linguísticos e a especialidade em uma determinada área do conhecimento podem ser colocados em segundo plano se entrarem em conflito com uma determinada opção anterior de tradução armazenada na memória à espera de se fazer valer em uma nova tradução. A expectativa e a prescrição de aproveitamento máximo do que é oferecido pela memória de tradução confere primazia às relações textuais formadas por esse sistema, em especial ao se considerar que, nossas tecnologias agora realizam o trabalho de memória para nós. A linguagem do passado é, assim, retirada de seus contextos subjetivos; é armazenada; torna-se anônima e desumanizada. Nossas relações com o outro, através de culturas no tempo e no espaço são lembradas para nós, e, dessa maneira, não se tornam parte de nós. (Pym, 2004b, p.126)

Não sendo "parte" do tradutor e, assim, deixando de lhe oferecer a possibilidade de construir uma relação com outra língua e cultura, o texto que lhe cabe traduzir é reduzido aos fragmentos contextuais recuperados da memória de tradução. Segmentos de traduções reaproveitados e introduzidos no novo contexto do trabalho em desenvolvimento tendem a encobrir a intervenção tradutória, inclusive pelo não reconhecimento, por parte do contratante do trabalho, da revisão e adequação feitas pelo tradutor para que esses segmentos tornem-se coerentes com o texto traduzido de que farão parte.

Ciente do papel que desempenha na produção de textos para circulação em meio eletrônico e do pouco controle que exerce sobre a produção final dos textos para que é contratado a traduzir, o tradutor também encontra conveniência no encobrimento de sua intervenção, até mesmo, aceitando que seu nome não conste no trabalho realizado. Frequentemente parte de uma equipe, para quais os trabalhos são distribuídos e em que há "vários tradutores em diversos locais trabalhando no mesmo projeto" (Austermühl, 2001, p.146), o trabalho do tradutor, sua intervenção, difunde-se entre as traduções realizadas por outros tradutores para, então, fundirem-se em um só texto, uma "colcha de retalhos" cujas emendas seriam garantidas pelo controle terminológico promovido com o auxílio dos bancos de dados formados pelos sistemas de memórias.

As condições de trabalho do tradutor contemporâneo que faz uso de sistemas de memórias de tradução convidam a retomarmos as concepções sobre ética de teóricos como Pym (1997) e Chesterman (2001). Se pensarmos como Pym (1997, p.76) que uma tradução só existe plenamente graça à crença, por parte do receptor, que tal texto, denominado tradução, foi produzido segundo um processo, que se chama traduzir, e que o outro, denominado texto fonte ou original, é o ponto de partida desse processo, mas não provém, ele mesmo, do traduzir. Dito de outra maneira, o receptor *crê* que a tradução representa plenamente o original. Frequentemente falsa, ideologicamente muito manipulável, talvez seja por essa crença – ilusão, até mesmo mentira – que o tradutor é, em última instância, responsável.

Talvez possamos inferir que os valores contidos na proposta de juramento ético do tradutor como "lealdade à profissão", "entendimento", "verdade", "clareza", "confiabilidade" e "honestidade" baseiam-se em crenças sobre o que constituiria o comportamento ideal em determinadas condições de trabalho. Nas situações descritas neste capítulo, esses valores ganham uma nova dimensão pelo modo como o tradutor executa seu trabalho ao fazer uso dos recursos tecnológicos a ele disponibilizados, ou até impostos, para manter-se atuante diante às exigências de mercados como o de localização.

Se retomarmos as discussões apresentadas, podemos repensar como se constrói a relação de "lealdade à profissão", defendida por Chesterman, na atualidade. Ser leal pode significar compartilhar memórias para colaborar com colegas autônomos que se sentem em desvantagem em relação aos extensos bancos de dados terminológicos com que muitas agências contam pelo fato de elas exigirem dos tradutores que lhe prestam serviços que forneçam a memória formada com a tradução contratada. Por esse prisma, a lealdade à profissão pode ser contrária à virtude de confiabilidade por parte do tradutor, também pregada por Chesterman, especialmente em se tratando do respeito ao segredo profissional do cliente. Compartilhar bancos de dados formados a partir de traduções contratadas pode constituir uma forma de "tirar proveito dessas informações", um ato contrário àquele defendido por Chesterman (2001, p.153).

A busca por "entendimento" para "maximizar a comunicação e minimizar desentendimentos" (ibidem), sobre a qual se assenta a proposta de Chesterman, pode estar sendo influenciada pelo modo como as memórias são projetadas e empregadas pelo tradutor. Como se analisou, o próprio projeto dos sistemas de memórias, com ambientes de trabalho que limitam o olhar do tradutor a caixas com textos segmentados para tradução ou, ainda, colunas com o texto de origem e a tradução compartimentados e alinhados, agem para que o tradutor apegue-se às opções oferecidas pela memória e atenha-se às orientações fornecidas para reaproveitamento máximo de trabalhos anteriores na execução de uma nova tradução. Do modo como é executado com o apoio dos sistemas de memórias, o trabalho de tradução é controlado a fim de produzir textos traduzidos idealmente padronizados e, de preferência, que ocultem a intervenção da interpretação do tradutor. Língua e cultura perdem o vínculo nesse esforço para padronização de traduções com o uso das memórias, na medida em que a expressividade particular a cada língua é deixada de lado na perseguição por pares bilíngues simétricos na operação de recuperação promovida pelos sistemas de memória. O empenho pela "clareza" e por respeito aos leitores já não dependeria mais exclusivamente das escolhas do tradutor na elaboração do texto traduzido, mas principalmente das circunstâncias em que ele exerce seu trabalho. Essa situação, levada às últimas consequências, pode por em xeque o esforço em prol do "entendimento entre culturas" defendido por Chesterman (2001).

Nesse sentido, podemos concluir com Koskinen (2000, p.108) que "a ética da tradução não pode ser totalmente coberta pelo regulamento das relações entre os textos de origem e meta, e nem entre os participantes imediatos no processo de tradução". O modo como são contratados e desenvolvidos projetos de tradução contemporâneos assistidos por ferramentas eletrônicas, como os sistemas de memória, tem promovido mudanças definitivas no trabalho do tradutor e em seu reconhecimento e sua remuneração. Como praticada na contemporaneidade, a tradução parece estar experimentando um retorno à tão combatida concepção de transposição de significados entre línguas, realizada por um tradutor com condições de se manter neutro. A neutralidade seria garantida pela divisão do trabalho entre vários tradutores que, fisicamente dispersos, têm sua produção controlada e padronizada pelos sistemas de memória. Nessa configuração, as diversas redes de relações linguísticas e culturais construídas pelo tradutor na tradução já não são mais suas, mas misturam-se e difundem-se entre os diversos agentes de um trabalho incessantemente segmentado e pelo qual já não se pode mais atribuir um responsável.

CONCLUSÃO

A reflexão sobre ética desenvolvida nesta obra centrou-se na análise do fazer tradutório e na discussão sobre os limites da responsabilidade do tradutor na prática contemporânea de tradução com o auxílio de sistemas de memórias de tradução. Com base no estudo dos principais recursos desses sistemas, examinei como a tradução auxiliada por tais ferramentas é concebida, em especial em um dos mais prósperos mercados de trabalho na atualidade: a indústria de localização. Conforme constatei, o foco desse setor em resultados imediatos e a priorização da rapidez de produção condicionam a contratação do tradutor ao emprego e ao domínio dos recursos oferecidos por ferramentas como os sistemas de memórias que, idealmente, lhe possibilitariam aumentar sua produtividade e alcançar a padronização terminológica e fraseológica de traduções.

Por outro lado, como discuti e com base a crítica de Pym (2006, s.p.), as novas tecnologias de tradução, especialmente os sistemas de memórias, "tendem a separar os comunicadores do ato de comunicação". A análise de três exemplares dessas ferramentas demonstrou a possibilidade de o tradutor desenvolver o trabalho mesmo sem ter contato com o texto completo que traduz, um pressuposto básico de outrora. Sem conhecer o usuário final do material a ser traduzido, o tradutor, em geral integrante de uma equipe cujos

membros desenvolvem tarefas demarcadas, ocupa-se exclusivamente do trabalho que lhe cabe, prendendo-se ainda mais às instruções que recebe para empregar de modo eficaz as ferramentas
que o auxiliam. O desconhecimento do contexto maior do texto de
origem, aliado ao modo como o texto a ser traduzido é apresentado
na interface dos sistemas de memórias, não encoraja o tradutor a
realizar uma pesquisa terminológica mais aprofundada para um
texto que ele conhece somente parcialmente. É nesse cenário que
se constrói a ética tradutória contemporânea, articulada à noção de
responsabilidade do tradutor pelas escolhas que realiza na produção
da tradução mediada e, muitas vezes, condicionada pela operação de
sistemas de memórias de tradução.

A aplicação dessas ferramentas também produz efeitos na relação entre o tradutor e o contratante, um fato que influi diretamente
na concepção que este tem do que envolva o trabalho de tradução.
Considerando-se que uma das formas idealizadas de acelerar a produção tradutória é padronizar os textos traduzidos pela aplicação
de estratégias de controle terminológico e fraseológico do texto de
origem, textos elaborados com construções gramaticais consideradas simples (que dispensam recursos como anáforas e elipses,
por exemplo) seriam mais facilmente processados por ferramentas
como programas de tradução automática e sistemas de memórias,
possibilitando que palavras, expressões e frases fossem traduzidas
uma única vez e da mesma maneira em todas as ocorrências.

Essa estratégia tem sido majoritariamente empregada na composição de textos em inglês, língua de origem de grande parte dos
materiais textuais submetidos a projetos multilíngues, que partem
de um único texto para a tradução para as diversas línguas em que
esse conteúdo será divulgado. Essa maneira de trabalhar com textos
é reflexo da crença na neutralidade da língua e na visão comumente
a ela atribuída como instrumento de comunicação e, em particular
no caso da tradução, um meio "neutro" de transmissão de segmentos textuais entre diferentes línguas. Uma das maneiras como essa
questão aflora é pela restrição do uso da língua de origem de textos a
serem traduzidos. Outra está no requisito de que a tradução seja de-

senvolvida com o apoio de sistemas de memórias, a fim de controlar e garantir a correspondência biunívoca entre os segmentos do texto de origem e aqueles de suas respectivas traduções. A língua instrumento contemporânea não é mais aquela pela qual se transportam significados, mas, com o uso de sistemas de memórias, ela se torna um meio pelo qual se transferem segmentos textuais fixos de uma língua para outra.

Por esse prisma, o tradutor torna-se responsável pela adequação dos segmentos estáveis e anteriormente traduzidos em novos contextos, limitando ao máximo sua interferência, como também pela produção de novas traduções que, armazenadas na memória do sistema com seus correspondentes linguísticos, gerariam novas possibilidades de tradução em trabalhos posteriores. A noção de língua como um simples instrumento parece estar associada à ideia da possibilidade de correspondência biunívoca entre línguas, visualizada pelas unidades de tradução enfileiradas nas memórias dos sistemas.

Vislumbrar a possibilidade de prever e dominar o trabalho de tradução, contendo o uso da língua na produção do texto de origem e empregando os recursos das memórias para padronizar a terminologia e fraseologia adotada, representa uma tentativa de controlar as diferenças entre as línguas, especialmente pela determinação do que deva ser reproduzido (em correspondências exatas ou totais) e do que deva ser unicamente editado (em correspondências parciais). Ao tradutor, caberia traduzir somente as ocorrências em que o sistema não tenha encontrado correspondência em sua memória.

As expectativas criadas para trabalhos de tradução desenvolvidos com o auxílio de ferramentas como os sistemas de memórias são também resultantes de promessas que promovem a comercialização desses sistemas e que atrelam a possibilidade de recuperação de opções anteriores de tradução armazenadas nas memórias a ganhos de produtividade. As diferenças contextuais entre o texto previamente traduzido e que gerou a correspondência bilíngue (unidade de tradução) e o novo texto em que essa correspondência será reaproveitada são desconsideradas em um meio que preza a agilidade de produção e visa à redução de custos de tradução. Essa noção de reaproveitamento de traduções faz que as mesmas ferramentas projetadas para auxiliar o tradutor tenham grande influência na decisão de contratação de um trabalho e no modo como ele é desenvolvido. Como conclui Bédard (2000, p.49),

cada profissão, perante a emergência de novas ferramentas informatizadas, teme ver-se desestabilizada, redefinida, desnaturalizada por essas ferramentas. Por muito tempo acreditamos que a tradução automática teria sobre nós uma influência tal que nos transformaria todos em "pós-editores", escravos instruídos de uma máquina não competente. Ora, começa a aparecer claramente que nós estávamos enganados quanto ao alvo e que são os sistemas de memórias de tradução que vão fazer com que a tradução profissional – pelos menos, um setor em grande expansão – não corresponda mais à imagem que conhecemos.

Mediada por ferramentas como os sistemas de memórias, a tradução passa a ser parte de um processo maior de produção textual, em que o trabalho do tradutor inicia-se, muitas vezes, *durante* a produção do texto de origem. A tradução não seria mais um trabalho posterior, mas paralelo à composição de origem e, por esse motivo, sujeita a alterações em seu desenvolvimento, na medida em que o texto de origem é modificado e atualizado. Essa seria uma das mudanças referidas por Bédard (2000).

Outra diz respeito à forma fragmentada pela qual textos são apresentados à tradução. Segmentos descontínuos, advindos de trabalhos anteriores e armazenados em memórias de tradução são reaproveitados em um esforço para acelerar o trabalho, gerando a impressão de a tradução ser constituída por uma "salada de frases", como qualifica Bédard (2000, p.45).

Uma terceira refere-se à contratação do tradutor por agências de tradução que, cada vez mais, estão priorizando profissionais que possuam e façam uso de um determinado sistema de memória.

Conforme declaração de Thomas Wedde,[1] proprietário de uma agência de traduções na Alemanha, o conhecimento linguístico do tradutor constitui hoje não mais o primeiro, mas o segundo critério para sua contratação. A preferência está voltada à habilidade do tradutor em trabalhar com um determinado sistema de memória compatível com aquele usado pela agência. Essa estratégia visa gerar economia para o cliente final, juntamente com as orientações para condicionamento das escolhas e escrita tradutórias, seja para se adequarem aos trechos de texto que lhe são enviados já traduzidos ou para gerarem maiores chances de reaproveitamento em futuras traduções. O relato apresentado por Wedde é exemplar do posicionamento de agências e de contratantes de serviços de tradução em relação ao tradutor que, ao priorizarem as ferramentas em detrimento das qualificações do profissional, corroboram a ideia de que seu trabalho restringe-se a recuperar e transferir termos, palavras e frases entre duas línguas.

As discussões desenvolvidas neste livro, reverberada na exemplar visão atual e prática declaração de Wedde, confirmam a retomada da concepção de tradução como recuperação de significados em uma relação de correspondência biunívoca entre as línguas alinhadas na memória de tradução. Contrariamente ao que se divulga sobre esses sistemas, o tradutor não detém pleno comando das memórias na medida em que é influenciado em suas escolhas pelo projeto e pela aplicação dos recursos desses sistemas.

Adotar ou não essas ferramentas, todavia, já não se constitui mais em uma alternativa, mas em uma necessidade para o tradutor contemporâneo que lida com textos em formato eletrônico ou que

---

1 Declaração apresentada na comunicação oral intitulada "Open-source translation memory systems", proferida na conferência internacional Interpreting the Future: Challenges for Translators and Interpreters Arising from Globalization, realizada em 2009 na Alemanha. Conforme argumentou Wedde, o formato .txm pelo qual são transferidos os dados terminológicos de um sistema por outro pode ocasionar perdas de dados, dependendo do sistema. Esse fato faz que muitas agências contratem tradutores que empreguem o mesmo sistema adotado na agência.

presta serviços para a indústria de localização. Cada vez mais, a efetivação do trabalho do tradutor depende do seu domínio dos recursos das tecnologias, especialmente daqueles disponibilizados pelos sistemas de memórias, que lhe permitem trabalhar com a tradução e a edição de textos que lhe são enviados já parcialmente traduzidos. Como confirma Bowker (2002, p.30), o emprego de ferramentas tecnológicas assegura uma "imagem positiva" por parte do cliente, pois, "ser capaz de utilizar novas tecnologias representa uma habilidade profissional adicional para os tradutores e essa habilidade está se tornando cada vez mais apreciada no mercado de trabalho".

Empregar os recursos disponibilizados pelos sistemas de memórias de tradução estudados nesta obra, em especial aqueles de segmentação, alinhamento e correspondência textuais, podem possibilitar ao tradutor trabalhar de maneira competitiva por lhe permitirem recuperar opções anteriores de tradução e reaproveitá-las no trabalho em desenvolvimento que, automaticamente, também é armazenado nos bancos de dados dos sistemas para uso posterior. Por outro lado, os mesmos recursos designados a acelerar e a uniformizar a produção tradutória, pela segmentação do texto sendo traduzido e pela busca por correspondências na memória do sistema, podem causar o efeito inverso, uma vez que podem ser uma interferência à construção da coerência textual pelo tradutor. Quando tudo que o tradutor tem à sua frente são segmentos textuais e opções de traduções passadas, pode acabar tornando-se difícil construir uma rede de relações conceituais e semânticas no texto que traduz. Essa situação pode também conduzir o tradutor a prender-se ainda mais às opções que lhe são apresentadas pelo sistema de memória que utiliza, consequentemente abrindo mão de seu estilo de composição da tradução.

A tendência do mercado de atuação do tradutor que faz uso de sistemas de memórias conduz ao desenvolvimento de sistemas cada vez mais sofisticados, integrados a ferramentas de autoria de texto e bancos de dados multilíngues, conforme entrevistos por Esselink (2000). Esses sistemas teriam por objetivo reduzir o número de etapas entre a criação do texto de origem e a tradução, afastando ainda mais o tradutor da produção final do texto traduzido e, em casos de projetos de tradução, do processo como um todo. Pelo modo como os novos sistemas de memórias estão sendo projetados para manter um grande volume de dados terminológicos e fraseológicos que, idealmente, seriam analisados e recombinados para automaticamente pré-traduzirem novos textos, o trabalho do tradutor tende a ficar restrito a revisar correspondências parciais e a adequar suas escolhas tradutórias aos trechos oferecidos pelo sistema. Essa situação tem efeitos na medida da responsabilidade assumida pelo tradutor pelo trabalho realizado. Se o tradutor é obrigado a adotar opções anteriores de tradução em correspondências consideradas exatas ou parciais, é possível sustentar a exoneração de sua responsabilidade por essa produção.

Essa constatação resulta da mudança na concepção do papel do tradutor implícita nos projetos de memórias de tradução. Embora as aplicações de memórias de tradução sejam definidas como diferentes daquelas da tradução automática, por serem controladas pelo tradutor, esse controle é ilusório por restringir-se às limitações dos recursos dos próprios sistemas analisados e, em especial, pela preceituação de que o tradutor reaproveite ao máximo os segmentos oferecidos pela memória. Essa instrução, difundida como uma espécie de "fórmula pronta" para aumentar a produtividade, constitui uma forma de controlar o trabalho do tradutor. Além disso, ela retoma a noção do papel do tradutor como recuperador de significados, encarregado de reciclar e editar segmentos pré-traduzidos em novas traduções.

O poder de controlar a atuação do tradutor na consecução dos resultados almejados promove o desenvolvimento de novos projetos de ferramentas comercializadas majoritariamente sob a égide de "auxiliar" o trabalho de tradução. Sistemas de memórias com capacidade ainda maior de pesquisa recuperação de dados terminológicos, como aqueles vislumbrados por Esselink (2000), incitam a imaginação de estudiosos da área, especialmente com promessas de criação de textos com base em "tecnologias de bancos de dados" e com textos a serem traduzidos primeiramente "processados" por memórias de tradução "de forma que somente o texto novo seja traduzido" (Esselink, 2000, p. 479). Conforme observa Pym (2004a, p.164), a visão de Esselink (representativa da indústria de localização) de "um tipo de adorável mundo novo, governado por critérios de eficiência", no desenvolvimento e na produção tradutória com apoio de sistemas de memórias pode estar bem próxima. Um exemplo pode estar na ferramenta desenvolvida pela empresa norte-americana Google, que colocou à disposição de internautas do mundo todo sua versão de um sistema de memórias de tradução, conhecida como *Google Translator Toolkit*.[2] Essa ferramenta permite aos usuários realizar uma busca terminológica em traduções anteriores realizadas com essa ferramenta e revisar trabalhos de tradução realizados de modo automático por esse sistema com um editor de textos por ele disponibilizado. As traduções podem, ainda, ser compartilhadas com outros tradutores, uma prática já bastante disseminada entre tradutores, apesar de possíveis implicações legais e éticas, referentes à confidencialidade dos trabalhos e à dispersão da responsabilidade pela produção da tradução.

Ao receber um trabalho parcialmente traduzido de modo automático e ao partir de buscas e recuperações de trechos traduzidos, em outras situações e por outros tradutores, e mantidos em bancos de dados, o tradutor é privado de realizar suas escolhas segundo a interpretação que teria do texto na língua de origem, pois parte do texto já foi "interpretado" para ele. Nesse caso, sua responsabilidade não é só dissipada, mas também é reduzida na medida em que sua intervenção no texto é limitada e guiada pelo modo como os sistemas de memórias são empregados.

Nesse sentido, conclui-se que os sistemas de memórias têm promovido mudanças tanto na maneira como o tradutor desenvolve seu trabalho, como na concepção sobre o que envolve sua atuação. Nas situações descritas sobre a prática de tradução contemporânea,

---

2 Ferramenta gratuita disponível em: <http://www.translate.google.com/toolkit>. Acesso em: 2 jul. 2014.

pensar em ética para a prática tradutória com apoio dessas ferramentas não se restringe à análise da relação do tradutor com o texto de origem que traduz. Também não implica somente a relação entre o tradutor e o público final, do qual o tradutor se distancia cada vez mais. Pensar em ética tradutória na contemporaneidade envolve também refletir sobre as circunstâncias de produção da tradução e, principalmente, o grau de envolvimento do tradutor com o texto traduzido e seu papel no projeto de que faz parte ou na tradução que lhe é comissionada.

A maneira como a prática de tradução é contratada e conduzida na contemporaneidade com o auxílio de ferramentas como sistemas de memórias relativiza o controle do tradutor sobre sua produção, principalmente por ser praxe exigir que esse profissional ajuste suas escolhas aos segmentos textuais pré-traduzidos com o uso da memória. A responsabilidade que assume pela produção também se limita à medida que lhe é permitido realizar escolhas e intervir na tradução. Essa limitação da responsabilidade tradutória não é prevista em propostas como o "juramento hieronímico" de Chesterman (2001) ou em códigos de ética profissionais que, por mais que almejem dar conta das diversas situações pela que passa o tradutor, propondo orientações para sua conduta sem adotar um tom prescritivista e criticado na pós-modernidade, não preveem situações em que as ferramentas que o auxiliam também determinam sua atuação. Diante dessa constatação, reafirmo a relatividade de uma determinada noção de controle do texto traduzido pelo tradutor. As diferentes circunstâncias de produção de uma tradução, que implicam diferentes graus de envolvimento do tradutor com o trabalho, devem ser consideradas no estabelecimento dos limites dessa responsabilidade.

Em diferentes períodos da história, teorizações acerca de ética e tradução parecem enveredar para o estabelecimento de um conjunto ideal de preceitos para a prática profissional. A pressuposição de que "a vontade livre se expressa apenas em escolhas erradas, que a liberdade, se não monitorada, sempre verga para a licenciosidade" seria reinante no pensamento ético moderno,[3] segundo Bauman (2003, p.11), podendo servir para justificar a incessante busca por "um código de ética a toda prova – universal e fundado de modo inabalável" (ibidem, p.15). Em tradução, controlar a escrita do tradutor de forma a evitar que sua indesejada intervenção viesse a alterar o sentido conferido pelo autor ao texto de origem constituiria uma das preocupações centrais de qualquer proposta tradicionalmente tida por ética. Traduzir sem o amparo de normas e prescrições poderia levar o tradutor a tomar caminhos tortuosos, guiados por escolhas inapropriadas.

A descrença em qualquer proposição que almeje estabelecer valores absolutos para o julgamento de uma prática foi um dos pontos bastante discutidos pelo pensamento associado à pós-modernidade. Um dos questionamentos mais significativos (e espinhosos) de teorias de tradução reconhecidas como pós-modernas envolveu a superioridade da teoria em relação à prática tradutória, concebida como uma atividade possível de ser prevista e controlada por uma teoria objetiva. Como explica Arrojo (1998, p.42), a concepção "moderna" de tradução, encorajava o autoapagamento do tradutor, e ao acreditar nessa possibilidade, estimulava-os a "não assumir responsabilidade integral por seu trabalho supostamente invisível". Ao chamar a atenção para o papel ativo do tradutor na produção de significados na tradução, reflexões alinhadas com o pensamento pós-moderno conferiram ao tradutor um novo espaço em teorizações sobre língua e cultura a partir da década de 1980, permitindo que esses profissionais "realizassem a difícil transição de amadores sensíveis ou talentosos artesãos a escritores conscientes e cientes de seu papel fundamental no estabelecimento das condições culturais e sociais de seu trabalho" (Arrojo, 1998, p.44).

---

3 Minha concepção de "moderno" baseia-se na perspectiva da crítica pós--moderna, referindo-se a "todas as concepções e sistemas de pensamento baseados na possibilidade de valores e verdades universais e essenciais que podem ser conhecidos e estudados de modo racional sem interferência do subjetivo e do ideológico" (Arrojo, 1997, p.8).

Essa mudança de atitude entre os próprios tradutores aumentou o comprometimento desses profissionais com o texto traduzido e seu público leitor. A possibilidade de o tradutor "assinar" um trabalho, seja estampando seu nome na capa de um livro por ele traduzido, seja apresentando-o ao final de um filme por ele legendado, designou-lhe um momento de atenção do público final de seu trabalho, de certa maneira acentuando sua responsabilidade profissional. O direito de ter o nome revelado ao final de um trabalho de tradução foi uma das conquistas responsáveis por lançar luz ao reconhecimento do tradutor como responsável por possibilitar a comunicação entre línguas. A reflexão pós-moderna chamou a atenção para a inevitabilidade de o tradutor fazer-se visível em seu trabalho. Assumir essa condição implica, ao tradutor, assumir suas escolhas e, a seu público, ter o direito de reivindicar qualidade de trabalho.

Como analisei nesta obra, todavia, a disseminação da aplicação de ferramentas eletrônicas, como os sistemas de memórias, em setores de trabalho, como a indústria de localização, e em traduções de grandes volumes de textos especializados em formato eletrônico, está colaborando para que o tradutor oculte-se entre as várias etapas que constituem a produção da tradução. A velocidade com que esses sistemas estão sendo adotados e a urgência que está sendo imposta para que os profissionais que desejam atuar nessa área dominem os recursos desses sistemas estão impedindo que se reflita sobre as consequências da instrumentalização da tradução e a própria concepção do papel do tradutor, que cada vez se limita a transpor segmentos entre línguas. No setor que emprega tecnologias de tradução como os sistemas de memória, parece não haver espaço para se pensar sobre questões como a medida da responsabilidade do tradutor na produção de traduções assistidas e condicionadas por ferramentas. Nesta obra almejei dar os primeiros passos para essa discussão que, embora urgente, tem-se dissipado no tecnicismo dos trabalhos focados em descrever o uso e os benefícios dos sistemas de memórias de tradução.

REFERÊNCIAS

ALVES, F. Tradução, cognição e tecnologia: investigando a interface entre o desempenho do tradutor e a tradução assistida por computador. *Cadernos de Tradução*, Florianópolis, v.2, n.14, p.185-209, 2004.

ARROJO, R. Asymmetrical relations of power and the ethics of translation. *TextconText*, v.11, p.5-24, 1997.

_____. The revision of the traditional gap between theory & practice & the empowerment of translation in postmodern times. *The translator*, v.4, n.1, p.25-48, 1998.

ARTHERN, P. J. Machine translation and computerized terminology systems: a translator's viewpoint. In: *Translating and the computer*: proceedings of a seminar. London, p.77-108, nov. 1978.

AUSTERMÜHL, F. *Electronic tools for translators*. Manchester: St. Jerome, 2001.

BASSNETT, S. *Translation studies*. London: Methuen, 1980.

BAUMAN, Z. *Modernidade líquida*. Trad. Plínio Dentzien. Rio de Janeiro: Zahar, 2001.

_____. *Ética pós-moderna*. Trad. João Rezende Costa. 2.ed. São Paulo: Paulus, 2003.

BÉDARD, C. Mémoire de traduction cherche traducteur de phrases. *Traduire*, n.186, p.41-9, 2000.

BENIS, M. Translation memory from O to R. 1999. Disponível em: <http://www.transref.org/default.asp?docsrc=/u-articles/Benis3.asp>. Acesso em: 5 mar. 2013.

BIAU GIL, J. R.; PYM, A. Technology and translation (a pedagogical overview). In: PYM, A. A.; PEREKRESTENKO, A.; STARINK, B. *Translation technology and its teaching*. Tarragona, Espanha, 2006. Disponível em: <http://isg.urv.es/publicity/isg/publications/technology_2006/index.htm>. Acesso em: 22 jun. 2013.

BOWKER, L. *Computer-aided translation*: a practical introduction. Ottawa: Ottawa University Press, 2002.

_____. Terminology tools for translators. In: _____ (Ed.). *Computers and translation*: a translator's guide. Amsterdam: John Benjamins, 2003. p.49-63.

_____. Translation memory and "text". In: ___ (Ed.). *Lexicography, terminology and translation*: text-based studies in honour of Ingrid Meyer. Ottawa: University of Ottawa Press, 2006. p.175-87.

BOWKER, L.; BARLOW, M. Bilingual concordancers and translation memories: a comparative evaluation. In: YUSTE RODRIGO, E. (Ed.). *Topics in Language Resources for Translation and Localisation*. Amsterdam: John Benjamins, 2008. p.70-83.

BRACE, C. Language automation at the European Commission. In: SPRUNG, R. C. (Ed.). *Translating into success*: cutting-edge strategies for going multilingual in a global age. v.6, ATA Scholarly Monograph Series, 2000. p.119-224.

CABRÉ CASTELLVÍ, M. T. From terminological data banks to knowledge databases: the text as the starting point. In: BOWKER, L. (Ed.). *Lexicography, terminology and translation*: text-based studies in honour of Ingrid Meyer. Ottawa: University of Ottawa Press, 2006. p.93-106.

CALVET, L.-J. *As políticas linguísticas*. Trad. Isabel de Oliveira Duarte; Jonas Tenfen; Marcos Bagno. São Paulo: Parábola Editorial: Ipol, 2007.

CÂMARA JUNIOR, J. M. *Dicionário de linguística e gramática*. 15.ed. Petrópolis: Vozes, 1977.

CASTELLS, M. *A sociedade em rede*. Trad. Roneide Venâncio Majer. 6.ed. São Paulo: Paz e Terra, 2007.

CATFORD, J. C. *Uma teoria linguística da tradução*: um ensaio em linguística aplicada. Trad. Centro de Especialização em Tradutores de Inglês do Instituto de Letras da Pontifícia Universidade Católica de Campinas. São Paulo: Cultrix, 1980.

CHAUI, M. de S. O público, o privado, despotismo. In: NOVAES, A. (Org.). *Ética*. São Paulo: Cia. das Letras, 1992. p.345-90.

_____. *Convite à filosofia*. 13.ed. São Paulo: Ática, 2003.

CHESTERMAN, A. Proposal for a Hieronymic Oath. *The Translator*: the return to ethics, Manchester, v.7, n.2, p.139-54, 2001.

COSTA, C. T. *Ética, jornalismo e nova mídia*: uma moral provisória. Rio de Janeiro: Jorge Zahar, 2009.

CRACIUNESCU, O.; GERDING-SALAS, C.; STRINGER-O'KEEFFE, S. Machine translation and computer-assisted translation: a new way of translating? *Translation Journal*. v.8, n.3, jul. 2004. Disponível em: <http://www.accurapid.com/journal>. Acesso em: 15 jun. 2013.

CRONIN, M. *Translation and globalization*. London: Routledge, 2003.

DELISLE, J. Criticizing translations: the notion of disparity. In: BOWKER, L. (Ed.). *Lexicography, terminology and translation*: text-based studies in honour of Ingrid Meyer. Ottawa: University of Ottawa Press, 2006. p.159-73.

DELISLE, J.; WOODSWORTH, J. (Org.). *Os tradutores na história*. Trad. Sérgio Bath. São Paulo: Ática, 1998.

DOLET, E. *La manière de traduire bien d'une langue en autre*. s. l.: s. n.,1540.

ESSELINK, B. *A practical guide to localization*. Amsterdam: John Benjamins, 2000.

_____. Leningrad meets Amsterdam meets Aquarius. *Language International*, v.14, n.1, p.10-11, 2001.

_____. The evolution of localization. In: PYM, A. A.; PEREKRESTE-NKO, A.; STARINK, B. *Translation technology and its teaching*. Tarragona, Espanha, 2006. Disponível em: <http://isg.urv.es/publicity/isg/publications/technology_2006/index.htm>. Acesso em: 22 jun. 2013.

FERREIRA, A. B. de H. *Novo dicionário eletrônico Aurélio versão 5.11a*. São Paulo: Positivo, 2004. CD-ROM.

FOLARON, D. A discipline coming of age in the digital age. In: DUNNE, K. J. (Ed.). *Perspectives on localization*. American Translators Association Scholarly Monograph Series XIII. Amsterdam: John Benjamins, 2006. p.195-219.

GODARD, B. L'éthique du traduire: Antoine Berman et le "virage éthique" en traduction. *TTR: Traduction, Terminologie, Rédaction*, Montréal, v.14, n.2, p.49-82, sept. 2001.

GOW, F. An evaluation methodology for comparing two approaches to search and retrieval in translation memory databases. In: BOWKER, L. (Ed.). *Lexicography, terminology and translation*: text-based studies in honour of Ingrid Meyer. Ottawa: University of Ottawa Press, 2006. p.189-99.

GRADDOL, D. *The future of English?* London: British Council, 1997.

_____. The decline of the native speaker. In: ANDERMAN, G.; ROGERS, M. (Ed.). *Translation today:* trends and perspectives. Clevedon: Multilingual Matters, 2003. p.152-67.

_____. *English next.* London: British Council, 2006. Disponível em: <www.britishcouncil.org/learning-english-next.pdf>. Acesso em: 15 maio 2013.

HALLETT, T. Transit and Trados: converging functions, diverging approaches. *Localisation Focus:* the international journal of localisation, Limerick, v.5, p.9-11, dec. 2006.

HELBICH, C. Controlled Authoring: writing for re-use. *Multilingual:* writing for translation, s.v., p.3-6, out./nov. 2006.

HEYN, M. Translation memories: insights and prospects. In: BOWER, L.; CRONIN, M.; KENNY, D.; PEARSON, J. *Unity in diversity?* Current trends in translation studies. Manchester: St. Jerome Publishing, 1998. p.123-36.

HINE JUNIOR, J. T. Writing for translation. *Multilingual Computing and Technology* (Supplement Translation), n.53, p.20-1, jan./feb. 2000.

HUTCHINS, W. J. Reflections on the history and present state of machine translation. *MT V Summit Proceedings,* Luxembourg, p.89-96, july 10-13, 1995.

_____. Translation technology and the translator. *Proceedings of the Eleventh Conference of the Institute of Translation and Interpreting,* London, May 1997. Disponível em: <http://ourworld.compuserve.com/homepages.WJHutchins>. Acesso em: 10 maio 2013.

_____. The origins of the translator's workstation. *Machine Translation.* v.13, n.4, p. 287-307, 1998.

_____. The development and use of machine translation systems and computer-based translation tools. *Proceedings of the International Conference on Machine Translation & Computer Language Information Processing,* Beijing, June 26-28, 1999. p.1-16.

_____. Machine translation and human translation: in competition or in complementation? *International Journal of Translation,* n.13 (1-2), p.5-20, jan./dec. 2001.

_____. Current commercial machine translation systems and computer-based translation tools: system types and their uses. *International Journal of Translation.* v.17, n.1-2, p.5-38, jan./dec. 2005.

_____. *Machine translation*: a concise history. 2007. Disponível em: <http://www.hutchinsweb.me.uk/CUHK-2006.pdf>. Acesso em: 15 ago. 2007.

HUTCHINS, W. J.; SOMERS, H. L. *An introduction to machine translation*. London: Academic Press Limited, 1992.

KAY, M. The proper place of men and machines in language translation. *Machine Translation*. n.12 (1-2), p.3-23, 1997.

KOSKINEN, K. *Beyond ambivalence*: post modernity and the ethics of translation. (Acta Universitatis Tamperensis 774). Tampere: University of Tampere, 2000.

LE BRETON, J.-M. Reflexões anglófilas sobre a geopolítica do inglês. In: LACOSTE, Y.; RAJAGOPALAN, K. (Org.). *A geopolítica do inglês*. São Paulo: Parábola Editorial, 2005. p.12-26.

LEFEVERE, A. *Translating literature*. New York: Modern Language Association of America, 1992.

LOCKWOOD, R. Machine translation and controlled authoring at Caterpillar. In: SPRUNG, R. C. (Ed.). *Translating into Success*: cutting-edge strategies for going multilingual in a global age. v.6, ATA Scholarly Monograph Series, 2000. p.187-202.

MACKLOVITCH, E.; RUSSELL, G. What's been forgotten in translation memories. In: WHITE, J. S. (Ed.). *Envisioning Machine Translation in the Information Future: 4th Conference of the Association for Machine Translation in the Americas*, Cuernavaca, México, 2000. p.137-46.

MARTINS, R. T.; NUNES, M. das G. V. *Noções gerais de tradução automática*. Relatório técnico. São Carlos: NILC-ICMC-USP, 2005, 25p.

MATEUS, M. H. M.; XAVIER, M. F. (Org.). *Dicionário de termos linguísticos*. Lisboa: Edições Cosmos, 1992. v.1.

MELBY, A. Some notes on "The proper place of men and machines in language translation". *Machine Translation*. n.12, p.29-34, 1997.

MERKEL, M. Consistency and variation in technical translation: a study of translators' attitudes. In: BOWER, L.; CRONIN, M.; KENNY, D.; PEARSON, J. *Unity in diversity?* Current trends in translation studies. Manchester: St. Jerome Publishing, 1998. p.137-49.

MICROSOFT PRESS. *Dicionário de informática*. Trad. Gilberto Castro e Valéria Chamon. 3. ed. Rio de Janeiro: Campus, 1998.

MURPHY, D. Keeping translation technology under control. *Machine Translation Review*. n.11, p.11-13, dec. 2000.

NOGUEIRA, D. Translation tools today: a personal view. *Translation Journal*. v.6, n.1, jan. 2002. Disponível em: <http://www.accurapid. com/journal>. Acesso em: 11 fev. 2013.

NOGUEIRA, D.; NOGUEIRA, V. M. C. Por que usar programas de apoio à tradução? In: ROCHA, M. et al. (Org.). *Cadernos de Tradução*, Florianópolis, v.2, n.14, p.17-35, 2004.

NOVO DICIONÁRIO Aurélio Eletrônico. São Paulo: Positivo, 2004.

PÉREZ, C. R. From novelty to ubiquity: computers and translation at the close of the industrial age. *Translation Journal*. v.5, n.1, jan. 2001. Disponível em: <http://www.accurapid.com/journal>. Acesso em: 14 mar. 2013.

PERKIN, J. Found in translation. *The Financial Times*. Ireland Survey. 24 jun. 1996.

PYM, A. *Pour une éthique du traducteur*. Arras: Artois Presses Université, 1997.

_____. *Localization and the humanization of the technical discourse*: revising the suppositions. 2002. Disponível em: <www.tinet.org/~apym/ on-line/translation/rimini.pdf>. Acesso em: 10 ago. 2013.

_____. What localization models can learn from translation theory. *The LISA Newsletter*: Globalization Insider. n.12/2.4. 2003. Disponível em: <http://www.lisa.org/archive_domain/newsletters/2003/2.4/ pym.html>. Acesso em: 20 jan. 2007.

_____. *The moving text*: localization, translation and distribution. Amsterdam: John Benjamins, 2004a.

_____. Translational ethics and electronic technologies. A *profissionalização do tradutor*. Lisboa: Fundação para a Ciência e a Tecnologia/ União Latina, 2004b. p.121-6.

_____. Translation technology as rupture in the philosophy of dialogue. *Proceedings of the 6th Portsmouth Translation Conference*. Portsmouth, Nov. 2006.

PYM, A.; PEREKRESTENKO, A.; STARINK, B. *Translation technology and its teaching*. Tarragona, Espanha, 2006. Disponível em: <http://isg.urv.es/publicity/isg/publications/technology_2006/ index.htm>. Acesso em: 22 jun. 2013.

RAJAGOPALAN, K. A geopolítica da língua inglesa e seus reflexos no Brasil. In: LACOSTE, Y.; RAJAGOPALAN, K. (Org.). *A geopolítica do inglês*. São Paulo: Parábola Editorial, 2005. p.135-57.

RIBEIRO, R. J. Ética, ação política e conflitos na modernidade. In: MIRANDA, D. S. de. (Org.). *Ética e cultura*. São Paulo: Perspectiva, 2004. p.65-88.

RIECHE, A. C. *Memórias de tradução*: auxílio ou empecilho? Rio de Janeiro, 2004. 179f. Dissertação (Mestrado em Letras) – Departamento de Letras, Pontifícia Universidade Católica.

SDL TRADOS: translation, localization, globalization. Disponível em: <http://www.trados.com>. Acesso em: 10 ago. 2013.

SINTRA – Sindicato Nacional dos Tradutores. *Estatutos, Código de Ética do Tradutor*, 13 de dezembro de 2004.

SOMERS, H. The translator's workstation. In: ___ (Ed.). *Computers and translation*: a translator's guide. Amsterdam: John Benjamins, 2003. p.13-63.

SPRUNG, R. C. Introduction. In: SPRUNG, R. C. (Ed.). *Translating into success*: cutting-edge strategies for going multilingual in a global age. v.6, ATA Scholarly Monograph Series, 2000. p.9-22.

STAR TRANSIT: the translation memory system. Disponível em: <http://www.star-group.net>. Acesso em: 4 ago. 2013.

STAR'S TRANSIT XV user's guide. Disponível em: <http://www.star-group.net/star-www/technical-documentation/transit/star-group/eng/transit_transitxv_1.html>. Acesso em: 9 set. 2013.

STUPIELLO, E. N. de A. *Implicações teóricas para a tradução do discurso legal*. São José do Rio Preto. São José do Rio Preto, 2001. 197f. Dissertação (Mestrado em Linguística Aplicada) – Instituto de Biociências, Letras e Ciências Exatas, Universidade Estadual Paulista "Júlio de Mesquita Filho".

TOPPING, S. Sharing translation database information: considerations for developing an ethical and viable exchange of data. *Multilingual Computing and Technology*, v.5, n.11, p.59-61, 2000.

TRADOS. Translator's Workbench user guide. Disponível em: <http://www.translationzone.com/en/downloads>. Acesso em: 10 out. 2013.

TYMOCZKO, M. *Enlarging translation, empowering translators*. Manchester: St. Jerome, 2007.

TYTLER, A. F. *Essay on the principles of translation*. Amsterdam: John Benjamins, 1978.

UNIÃO LATINA. Direção de Terminologia e Indústrias da Língua. *Langues e cultures sur la toile – étude 2007*. Disponível em: <http://dtil.unilat.org/LI/2007/fr/resultados_fr.htm>. Acesso em: 2 ago. 2008.

WALLIS, J. *Interactive Translation vs. Pre-translation in the Context of Translation Memory Systems:* investigating the effects of translation method on productivity, quality and translator satisfaction. Ottawa,

2006. 155p. Dissertação (Mestrado em Estudos da Tradução) – Faculdade de Tradução e Interpretação, Universidade de Ottawa.

WEBB, L. *Advantages and Disadvantages of Translation Memory*: a cost/benefit analysis. Monterey. Califórnia, 1998. Dissertação (Mestrado) – Monterey Institute of International Studies. Disponível em: <http://techlingua.com/translation/thesis.html>. Acesso em: 6 jul. 2008.

WEBSTER'S Encyclopedic Unabridged Dictionary of the English Language. New Jersey: Gramercy Books, 1994.

WEININGER, M. J. TM & MT tradução técnica globalizada – tendências e consequências. *Cadernos de Tradução*, Florianópolis, v.2, n.14, p.243-63, 2004.

WODAK, R. Políticas linguísticas europeias: tensões devidas à globalização e ao nacionalismo. In: SILVA, F. L.; RAJAGOPALAN, K. (Org.). *A linguística que nos faz falhar*: investigação crítica. São Paulo: Parábola Editorial, 2004. p.145-52.

WORDFAST user guide. Disponível em: <http://www.wordfast.net/index.php?whichpage=downloadpage&lang=engb>. Acesso em: 11 mar. 2013.

SOBRE O LIVRO

Formato: 14 x 21 cm
Mancha: 23,7 x 42,5 paicas
Tipologia: Horley Old Style 10,5/14
Papel: Offset 75 g/m² (miolo)
Cartão Supremo 250 g/m² (capa)
1ª edição: 2014

EQUIPE DE REALIZAÇÃO

Coordenação Geral
Marcos Keith Takahashi

Impressão e acabamento

psi7 | Booк7